翔ぶが如く（一）

パリで

この男は、薩摩の田舎《いなか》では、

「正之進」

とよばれていたが、パリでは、としながとローマ字で書いていた。

川路利良である。

日本人としては背が高く、しかも頸《くび》がながいために、その上に載《の》った頭がすこし安定感を欠くきらいがあった。色白で可愛気のある丸顔だったため、最初パリでときどき子供にまちがわれた。このため口ひげをはやした。生来ひげの薄いたちであるため、毛が唇のはしに集まって、それが夕方になると脂染《あぶらじ》みてくるのでひげのさきが垂《た》れた。

「おまえはシナ人か」

と、女を買うときなどはよくきかれた。かとおもえばスペイン人かと問われることもあり、そういえば当時パリで興行して人気を得たスペインの闘牛士の某と川路の顔だちが似ているという気味はあった。

「何国人だ」

ときかれても、川路はつねにだまっていた。かれは薩摩語と日本の普通語のほか、英語もフランス語も、世界中のあらゆる言語を一語も解しなかったし、たとえ知っていたとしてもこの男はもともとおそろしく無口だったから、そういう質問には答えなかったにちがいない。

川路は洋服をきて一八七二年（明治五年）の九月に横浜を出帆し、厳冬といっていい季節にマルセーユに上陸した。

列車がパリに近づくにつれて寒さがひどくなり、

（まるで蝦夷地《えぞち》――北海道――のようだ）

とおもい、ひざに赤い毛布をかけた。そのころ、体をねじりたくなるほどに便意を催した。

（パリまで、あとどのくらいかかるのか）

と考えてみたが、かれの思考を決定するなんの材料もなかった。あと一刻《いっとき》（二時間）ほどで着きそうでもあり、しかしながらあと三日もかかるかもしれないという心配もある。

——沼間《ぬま》守一にでもきくか。

と思ったが、しかし業《ごう》っ腹《ぱら》でもあった。

沼間は旧幕臣出身のなかでは代表的な秀才とされている。かつて幕陸軍に属した。幕府瓦解《がかい》後、旧幕陸軍をひきいて関東各地に転戦した。ついでながら沼間はのちに明治期の在野政界を構成した知的政治家ということのほかに、この戊辰《ぼしん》戦争の戦場にあっては卓抜した軍隊指揮官であった。そのころ川路は敵側の官軍ながら、薩摩の足軽隊をひきいてその軍人としての能力はむしろ沼間を凌駕《りょうが》した。が、いまは両人とも軍人ではない。沼間は、おなじ客車のうしろのほうにいて、旧土佐藩出身の河野敏鎌《とがま》と談笑していた。客車には縦断する通路がなかったため、もし川路がききにゆこうとすれば木製の座席をいくつも乗りこえてゆかねばならず、この場合そういう過激な運動が下腹にどういう変化と結末をあたえるかは明白であった。川路はこらえた。

顔が真っ青になった。

——蝦夷地のようだ。

という川路のフランス風景観はあるいはあたっているであろう。パリの緯度は樺太《サハリン》の南部に相当し、ときに車窓からみると積雪がところどころにこびりつき、白樺《しらかば》の林がみえた。川路は戊辰戦争では会津《あいづ》まで行き、あとは郷党の親玉である西郷隆盛からその才を買われて東京で薩摩軍の兵器奉行《ぶぎょう》をつとめたため函館の五稜郭《ごりょうかく》攻めに参加しなかった。

このため北海道もこの男は知らなかったのだが、しかし話できいて想像だけはしていた。想像力は乏しいほうではない。

列車はレールの継ぎ目にくると震動する。そのわずかな震動も、川路にはこたえた。かれはニスの剝《は》げた腰掛けの板から、わずかに尻をもちあげていた。が、ついにはそのようなごまかしがきかなくなるほどに川路の便意は急を告げはじめた。川路はからだ中の血液が下へさがる思いがした。

(人間というのはなぜ汚物を排泄《はいせつ》しなければならないのか)

と、川路はなさけなくなった。人間は決して高雅ないきものではない。詩経でいう君子も窈窕《ようちょう》たる淑女も、その排泄という場所からとらえればことごとく悲惨である。ついでながら川路は西郷の示唆《しさ》で、フランスの警察制度を日本に輸入すべくはるばる極東の無名国からきたのである。警察もあるいは人間社会をその排泄口においてとらえている機構かもしれず、川路はそのことを懸命に考えることによって気をまぎらわせようとした。

が、ついに我慢の極がきた。

かれはたまたま横浜で刊行されていた日本の新聞紙をもっていた。それを床の上に敷いた。

やがて毛布を肩までかぶり、毛布の中でズボンをぬぎ、腰をすこしずつずらせて床の上にしゃがんだ。毛布をかぶっているため、他人の目からは何をしているのかわからない。大いに発した。叫びをあげたいほどの解放感であった。

前の座席には、どこかの田舎教師らしい中年の男が、その妻女と二人ですわっている。川路の位置から二人の肩から上がみえた。この間、その二人の肩が微動だにしなかったところをみても、二人は川路の挙動に気づかなかったはずであった。

川路は、ふかしたての饅頭《まんじゅう》をつつむようにしてそれを新聞紙につつみ、わっと窓のそとへなげた。すべてはおわった。

が、終らなかった。かれがパリについた翌日、新聞にそのことが出てしまったのである。

「パリ近くで列車の窓から大便をほうり投げた者がいる。それが保線夫に命中した。保線夫が怒り、それを警察署へもってゆくと、警察署にアジアの事情に明るき者がおり、これは日本文字なり、投げた者はおそらく日本人なるべし、と証明した」

その新聞を沼間守一がもってきて、そのくだりを指でたたいた。国辱と思わないかね、君、と沼間はいった。

「薩摩人はどうも行儀がよくない」

と、旧幕臣でそれも代々の旗本の子である沼間は、川路をばかにしきったような顔でいった。

日本からマルセーユまでの船旅のあいだ、沼間守一と川路利良はほとんど口をきかなかった。

——虫が好かない。

という感じが双方にあった。

理由は性格がちがうというより、むしろ濃厚なある一点で似たものを共有していたからでもあろう。たとえばどちらも現状から跳躍して物事をしたがるたちで、しかもやるにあたっては双方清濁にきびしすぎた。清を採り濁を捨てる場合、濁に対して激烈な打撃をくらわせねば気がすまぬ気質を双方もっていた。

さらには革命早々のこの時期としては、出身のちがいが大きかった。沼間は数年前までは殿様といわれていた旧幕臣出身であり、一方、川路は革命の勝者の側に立つ薩摩藩出身で、しかも革命の象徴的人物というべき西郷に愛されている人物であった。

しかし沼間からみれば、

「田舎侍《いなかざむらい》」

であるにすぎず、しかも川路は江戸城の殿中の常識では侍といえるかどうか。郷士でさえなかった。家格は足軽より紙一重上で、薩摩与力という、特殊な内容をもつ階級から這《は》い出てきている。

もっとも川路の精神内容は江戸期の侍というより戦国武者であったろう。かれは薩摩藩だけに存在した示現流という実戦型の剣法の達人であった。稽古《けいこ》は面籠手《めんこて》をつけずただ木刀をもって立木を打ちに打つ。一ノ太刀で勝ちを決定し、二ノ太刀では敵にやられることを覚悟する。たとえば川路も参加した鳥羽伏見ノ戦いで薩人に斬《き》られた幕兵の死《し》骸《がい》というのは、頭蓋《ずがい》がこなごなになって凄惨《せいさん》なものであったことをみても、この流儀の凄《すご》さがわかるであろう。

しかも川路は藩官吏の出身ではない。

川路は幕末を戦国に見立てたような、いわば野武士のあがりといってもよく、かれは蛤御門《はまぐりごもん》ノ変の前、京の風雲があやしくなったことを嗅《か》ぎあて、近郷の足軽の子をかきあつめてにわかに一個小隊を編成し、みずからその半私兵というべき連中をひきいて上洛した。

「世ォがみだるっと、あげな人物が出てくるもンごわんサ」

と、西郷は川路の中に戦国の薩摩人を発見してよろこんだらしい。

たとえば蛤御門ノ変のときにはかれの隊は義勇隊であったため、小銃さえもっていなかった。どの男も大刀を一本だけ帯び、短袴《たんこ》をたくしあげて毛ずねをむきだし、その猛《た》けだけしさは古代の隼人を思わせた。かれらは、

「チェーイ」

と叫びつつ弾雨をくぐって駈け、手あたりしだいに敵を真っ向から斬撃《ざんげき》したが、西郷はこの変で川路を発見し、以後、なにかと目をかけるようになった。

パリについた当座、下宿をさがすまでの間、川路ら一行五人はホテルにとまった。

ホテルのそばに一大建造物があり、旧幕臣沼間守一は川路らに、

「大坂城のごときもの」

と説明したが、川路にも沼間の比喩《ひゆ》に作意的な無理があることが感じられた。この建造物はルーヴル宮のことだが、王朝のむかしからナポレオン三世時代にいたるまで約四百年という長い歳月をかけて完成されたものであり、歴史的にいえば過去の権力の遺物ともいえる。日本でいえば大坂城がそれにあたるであろう。しかし江戸城もそうであった。ところが江戸城は将軍が去っていまは天皇が居住しているため、沼間は江戸城を比喩に用いることを避け、大坂城をたとえに挙《あ》げた。旧幕臣としての沼間の意識の屈折がそこに見られるようである。

ホテルの豪華さは、沼間たちを圧倒した。土佐人河野敏鎌などは、

「土佐二十四万石と威張っていたが、この宿一つにもおよばぬなあ」

と、妙なことをいって感嘆した。

ホテルの建物は五階建六百室、従業員だけで五百人という、河野流にいえば、日本の小さな大名の家臣ほどの数がいる。玄関を入ると、威圧されるような大空間のまっただ中に卑小な自分を発見しなければならない。この大空間は、重厚で華麗な調度によって芸術的変化をあたえられており、なによりもおどろかされるのは、壁や天井をあかるくしているガス灯であった。

川路は沼間と同室になった。

川路も沼間も、眼光が異常にするどいことで特徴があった。ただ川路は無口だったが、沼間は人の心をえぐるような雄弁のもちぬしであった。

「おれはかつて勝海舟を斬ろうとしたことがある」

と、ある夜、なにかの話のついでに幕府瓦解のころの話題が出たとき、沼間は不意にそういった。沼間は、あのとき海舟がやった江戸城の無血開城に反対であり、これを斬って薩長と一大血戦をしようとし、恭順派の閣老になだめられて江戸を去った。その後各地に転戦した。最後に庄内《しょうない》藩の洋式戦闘法の軍師になって官軍に抵抗し、庄内藩の降伏とともに味方であった同藩に捕えられ、同藩兵に護送されて千住《せんじゅ》に入り、千住から舟に乗り、赤羽の手前まできたとき、明治二年元旦の初日が昇るのをみた。舟中、沼間は吟じ、

「ああ　たった　六十余州か　けさの春」

と、満腔《まんこう》の不満を一句にこめた。反乱者として駈けまわるには日本は狭すぎたのである。

「だからいまでもおれは薩摩は好まぬ」

といったが川路はべつに怒りもせず、ただはじめて口をひらいた。

「おのれの好悪《こうお》の情を他人に喋々《ちょうちょう》するのは男子の事ではあるまい。そういう旗本のなま白さが幕府をほろぼしたのだな」

かれらはその、ルーヴルの前の豪華なホテルに数日泊まっただけで、あとは下宿屋ふうの別のホテルに移った。

「これなら日本の本陣のほうがりっぱだ」

と、土佐人河野敏鎌は、パリの威圧からやっとのがれ出たような声を出して石炭くさい部屋の中のイスに腰をおろした。宿は、静寧川《セーヌ》にかかる阿爾嗎《アルマ》橋の近くにあり、鎧戸《よろいど》が立派であるほかは全体が古ぼけた四階建であった。近所にちっぽけな辻堂のようなものがあった。

「あれがフランス国の誇りとされるノートルダム寺院である」

と沼間守一が、宿の主婦からそうきいたといって一同に披露《ひろう》したが、沼間のフランス語はあやしく、その貧相な辻堂が、中世のフランスが国力をあげて聖母マリアにささげた偉大なる聖堂であるとはおもえなかった。おそらくノートルダム寺院の管理下にある小建造物だという意味を、沼間の語学力は「ノートルダム」という一語にのみ飛びついて誤解したらしい。

ついでながらここでかれら一行五人の序列をいうと、土佐人河野敏鎌が筆頭であり、責任者であった。かれらは日本にあっては司法卿《きよう》江藤新平（佐賀人）の部下であり、河野の官職は司法少丞《しようじよう》である（以下の役職名は、遣欧の辞令が出た時点のもの）。沼間守一は司法省七等出仕で、警保助である川路利良より階級は下であった。ほかに明法助の鶴田皓《あきら》、権中判事の岸良《きしら》兼養がいる。ほかにこのメンバーに予定されている者として司法中録井上毅《こわし》、司法省七等出仕名村泰蔵、それに司法省八等出仕益田克徳がいるが、かれらは東京で通訳のフランス人を傭《やと》って出かけるため後発組になっていた。

　かれらの任務は英仏独における司法制度の調査にあり、早くいえば各国の制度上の長所をそのままごっそり持って帰って日本の司法および警察制度を改革するところにあった。歴史的にいえば日本国家のその方面の制度は、この連中の渡仏後に確立するのである。

　もっとも、この一行八人（後発組を含む）の総元締として、司法大臣である司法卿江藤新平みずからが渡欧するはずであった。

「司法卿江藤新平・為理事官、欧米各国へ被差遣候事」

という太政官《だじようかん》（政府）辞令が、壬申《じんしん》（明治五年）五月二日付で出ていたのである。この連中はその先発組であった。

江藤は後発する。その予定であった。しかし江藤はこのとしの春、

「大日本は法治国なり」

と宣言して拙速ながら箕作麟祥《みつくりりんしよう》などにフランス法典を翻訳させて大いそぎで司法制度をつくりつつあったため、渡欧が不可能になった。このことは江藤の運命を決定した。かれは今春司法卿に就任、翌明治六年職をなげうつ。同七年佐賀ノ乱をおこして刑殺される。江藤がこのとき欧州へ行っておれば運命は変わったかもしれない。

沼間の生涯をみても、かれが他人に対する攻撃能力を過剰に備えていたという性格のきわどさをのぞけば、俊傑という印象をかれに接するたれもが持った。

「かれはたいそうな仏蘭西《フランス》学者じゃ」

という定評が、この若い時期にすでに新政府部内にあり、であればこそかれは旧幕臣出身でしかも戊辰戦争での反革命軍の隊長でありながら新政府に仕えることができた。新政府は馬上天下をとった薩長軍の政府であり、政府を構成するにあたって大量の洋学知識人を必要とした。その洋学知識人の多くは旧政権である幕府の出身者であった。

「仏蘭西学者」

といわれた沼間の伝説の出所は、かれが旧幕陸軍の士官であったところにある。旧幕府は陸軍を創設するにあたって仏式を採用し、フランス陸軍から教師を多数招いた。その教師団のうち、ジブスケ、メスローの両人が沼間の俊才ぶりにおどろき「この者は将来の将軍たるべし」といって幕府にすすめて沼間の階等を飛躍させ、幕府瓦解時には二十五歳で歩兵頭並（歩兵少佐）であった。当然フランス語ができるであろうとひとは思った。

しかし沼間が幕府陸軍に入る前に学んだ外国語はフランス語ではなかった。かれは長崎で二年間英語をまなび、のち横浜のヘボン博士についてその会話法を学んだが、フランス語については、かれの知っていることといえば、軍隊用語と号令ぐらいのものであった。

この洋行の直前、河野や川路らが洋服と洋装品一切をととのえるべく横浜の洋服屋をたずねたことがある。主人はフランス人であった。

沼間が通訳であった。かれが口を衝《つ》いて発した最初のフランス語は、

「われわれは日本人である」

という言葉であった。横浜でわざわざ日本人であると名乗る必要はないであろう。そのあと君は英語ができるか、ときくと、幸いそのフランス人の洋服屋は英語ができた。沼間は英仏両語の単語をがなりたてて洋服を注文した。他の連中はいかなる外国語もできなかったから沼間の〝フランス語〟に感嘆した。

船のなかで、河野敏鎌は沼間に通訳としてのしごとをいろいろ弁じさせた。幸運にもそれらのフランス人はみな英語ができた。

ところが上陸後、税関でまず通じなかった。次いで法務省へあいさつにゆくと、沼間のフランス語は通ぜず、さらに先方が書類をみせてくれたが、沼間がわかったのは「justice」の一語だけであった。

これには河野敏鎌は茫然《ぼうぜん》とした。

かれにすれば、沼間の語学力だけを頼りにフランスの司法制度を持って帰ろうとおもっていたのである。このぶんではおおげさにいえば一国の安危にかかわるであろう。げんに河野はホテルにもどってから、

「これは国難である」

と、沼間にいった。

沼間は、白状した。

「自分はじつはフランス語ができない」

と、堂々とひらきなおった。沼間のいうところでは、横浜でフランスの仕立屋を相手に喋《しゃべ》ったのはあれはゴマカシだ、君らをあざむくためだ、というのである。

「仕立屋も商売だよ、洋服を買ってもらいたい一心だから、おれの顔色をみて懸命に理解しようとした。しかし本場に来ればそうはいかん」

「では、なぜ君は官をあざむき、われらをあざむいたのか」

と、河野はきいた。沼間はその大きな眼球《めだま》を光らせて、

「あざむかねば、どうなる。君は私を船に乗せないだろう。私は洋行ができなくなる。これも兵法のうちである」

といった。河野はその弁明を奇として、生涯、沼間の才略と度胸を高く評価した。沼間も容易に人をゆるさない男だったが、一生、

「自分がもっとも尊敬する人物は、幕末にあってあくまでも抗戦を唱えて官軍に殺された小栗上野介《こうずけのすけ》と、明治人では河野敏鎌である」

と語りつづけた。河野は土佐勤王党の出身だが、土佐人が郷土的性格としてもつ論理性を一身に凝縮したような男で、のち法官になり、明治政権に反抗する者を秋霜《しゅうそう》のよう

なきびしさで検断した。かれを抜擢《ばってき》した司法卿江藤新平を、佐賀ノ乱の首魁《しゅかい》として捕えて裁いたのもこの河野敏鎌であり、死刑の宣告の場で江藤をして、

――河野、汝《なんじ》は、わが恩を忘れしか。

と叫ばしめた人物である。

沼間守一は旧幕人であることの誇りをもっていた。同行の鶴田皓が、宿を替えて早々、

「われらはぜんぶフランス語がわからない。沼間君さえわからない。それでもってフランスをフランスたらしめている法律を日本へ持ち帰ろうというのは不可能だ」

と絶望的なことをいうと、沼間は逆に声をはげまして鶴田の弱気を叱《しか》り、

「三河武士は無学にして天下をとり、三百年の泰平の基礎をつくりあげた。私は三河武士の末裔《まつえい》であり、いまからわれらが為《な》そうとしていることは、慶長・元和《げんな》のむかしに草深い三河から出てきた武士たちがなしとげたこととかわらない。いまわれらはフランス国の首府にあってこの国の言葉を解しないのは一見不幸に似ているが、しかし枝葉にすぎぬ。われらは、活眼さえあればこの国の文明を見ることができ、その文明を作っている法を察することができる。要は武士たるか武士たらざるかがあるのみ」

と長広舌をふるったとき、すみにいた川路利良が不意に、

「チェスト！」

と叫んだ。薩音のかけ声である。賛成だ、という意味であった。

川路にいたっては、日本の普通語である江戸弁さえおぼつかない。元来薩摩人は言語

などを頼らず、全精神を鏡にして対象物の本質をうつし抜くという習風をもっていた。

「沼間は、薩人のようである」

と、川路はほめた。が、牛込《うしごめ》の旗本屋敷に育った沼間はほめられてもうれしくなさそうであった。


ある日、珍事があった。

この日、一行が外出先から帰ると、置き手紙が一通おかれていた。手紙には、

「是非、御面晤《ごめんご》を得度候《えたくそろ》」

と鉛筆で書かれてあり、「羅尼」と署名されている。

「羅尼というのは日本人の名前ではないな」

と、学者の沼間守一が考えこんでいると、川路利良が、

「この筆蹟《ひっせき》のぬしはロニーという若者だ」

といったので一同おどろいて川路を見た。薩人は平素愚のごとく構えている癖《へき》があり、ときにそれが翻《かえ》って意外な面を見せることを、かれらは幕末以来、薩人との接触を通じて体験してきた。この川路もそうか、と一様におもった。

が、川路は、驚くことはない、といった。

「たねは日本を出るとき栗本鋤雲《くりもとじょうん》先生から仕入れてきた」

あっさり種を割ってあくまでも愚をとおすというのも、薩人の通癖であった。

栗本鋤雲は旧幕臣である。

ながく外国方関係をつとめ、とくにフランス語に堪能《たんのう》で、幕末には横須賀造船所の開設にあたり、慶応三年（一八六七年）従五位下安芸守《あきのかみ》に任ぜられてフランス人へ特派された。幕末第一等の国際通の知識人といえば栗本鋤雲であったであろう。

ところが鋤雲は維新の成立をヨーロッパできくというはめになった。ともかくも帰国したが、報告すべき幕府がすでに無かった。かれはその後、明治政府から幾度か招きの声がかかったが、

——いまさら。

と、使者に対し温容で接しつつも、しかし招聘《しょうへい》には応ぜず、このため、

「鋤雲は亡朝の遺臣たる節義をまもっている」

という評判が高く、その評判さえ鋤雲ははずかしがり、「なにぶん齢《とし》ですから」と言いわけしていた。齢といっても維新政府成立のときに四十六歳であったから、それほどでもない。

かといって偏狭人ではなく、人が物をききにくれば丁寧《ていねい》に教えてやった。川路利良もひとの紹介状をもって鋤雲をたずねた。

鋤雲はフランスの政情やパリ滞在にあたっての助言をし、雑談になってから、

「ロニーという若者がきっと訪ねてきますよ。これは奇書生です」

といった。

日本びいきだという。日本語を勉強し、パリで日本語塾《じゆく》をひらいているが、生徒はほとんど来ないようであった。

「家は極貧《ごくひん》でね。しかし生活のために働くことをまるで考えていないようです。日本書紀、日本外史もよく読んでいてなかなか感心ですが、あるいは偏窟者《へんくつもの》といえるかもしれない。母親につかえて至って孝行者ですが、大変な女ぎらいですよ」

そのあくる朝、川路が食堂に降りてゆくと、沼間が卓上の皿にのしかかるようなかっこうでパンをちぎっていた。

「ん?」

と、川路は微笑を会釈《えしやく》がわりにして沼間の向かいにすわった。薩摩士族にはふつう出会いの場合のあいさつ言葉がないにひとしかった。沼間も川路を見ずに、うなずいただけである。

宿の痩《や》せた主婦がやってきて、沼間にしきりに話しかけていた。沼間はそっぽをむいたままパンを嚙《か》み、ときどきうなずくだけである。江戸っ子のくせにおよそ愛想というもののない男であった。宿の主婦のいうところでは今朝セーヌ河が凍った、フランス中がことごとく寒いのであって、当家としては決して燃料を惜しんでいるわけではない、という言いわけのような主張のような内容のものであったが、沼間はつねに自分が関心をもっていること以外、他人の関心に興味を示さない男であった。

食後、つめたい風が吹きはじめた。

その風がにわかに表の扉から吹きこんできて、風に吹き寄せられたようにして、一人の青年が入ってきた。外套《がいとう》も着ていなかった。

ロニーであった。

川路たちは、食堂で対面した。青年は寒そうに肩をすぼめてすわった。長い、痩せた顔が、無精ひげのせいか、暗い隈《くま》をつくっている。目鼻だちがそとにむかわず、内にむかってくしゃくしゃと寄りあつまっている感じで、なにか考えこんでいる表情を、一枚きりしかもっていなかった。ただまぶただけが神経質にまばたき、そのたびに、びっくりするほどうつくしいトビ色のまつげが動いた。

（暗か若者《にせ》じゃな）

と、川路はおもった。が、稚児《ちご》好きの他の薩摩モンにみせれば食指の動く感じかもしれない、と同時におもったりした。もっとも川路は稚児好きではなかった。

河野敏鎌が、むこうのはしで遅い食事をとっている。沼間守一は食卓を離れて部屋のすみに独《ひと》りすわっているため、結局は無口な川路が相手にならざるをえなかった。

川路は日本の共通語がうまくしゃべれないため、わずかに一、二のことを質問した。

——なぜ貴殿は日本が好きになったか。

というようなことだったが、ところが川路にとってうまいことに、その程度の質問に対してさえロニーは三十分もしゃべってくれたのであった。喋っているあいだロニーの頬に赤味がさし、それが増してきて、かれがよほど情熱的になっていることを示した。ロニーは決してお喋りではなさそうだったし、それに喋る内容も、語らねばならぬ必要があって語っているというほどのものではなく、要するにこの奇書生は日本語を喋るという、ただそのことに無上の情熱と快感をおぼえているようなのである。

しかし、川路にはロニーの日本語の一割もわからなかった。あとでわかったことだが、土佐人の河野敏鎌には三割方わかり、江戸人の沼間守一には半分ばかり理解できた。ロニーの日本語には助詞《てにをは》が極端にすくなかった。

「私、幕臣を好み候《そうろう》」

とロニーが言いだしたとき、旧幕臣の沼間守一は顔をあげ、この青年に強い関心を示した。

パリに日本の国使が最初に訪れたのは、一八六二年（文久二年）三月九日である。幕府の遣欧使節団で、正使は竹内下野守《しもつけのかみ》、副使は松平石見守《いわみのかみ》、目付は京極能登守《きょうごくのとのかみ》で、ほかに二十人ほどの吏僚、および三使の家来衆が十人ばかり従っていた。

「傲然《ごうぜん》として大小を横たえ」

と、パリでの一行のことを書いているのは、通訳官として使節団に加わっていた福沢諭吉である。福沢は豊後《ぶんご》中津藩士ながらこの時期、幕臣待遇だったから、幕臣という高等官のシルシともいうべき黒漆定紋《くろうるしじょうもん》入り裏金の陣笠をかぶり、白緒であごを締めあげていた。それに白い鼻緒の草履《ぞうり》をはき、絹の紋服に羽織袴《はかま》——福沢のことばを借りれば我こそは日本の武士なれ——という姿でパリじゅうを歩きまわった。

一行は到着の翌々日の十一日、大臣訪問に出かけ、さらに十五日にはナポレオン三世に謁見すべく出かけたから、パリじゅうの好奇心のつよい者はことごとく一行の姿を見た。公式の出入りには政府差しまわしの馬車と馬があてがわれた。馬車は三人の使節に対して三台で、福沢たちは騎馬であった。その服装は江戸幕府の正式の礼装である。三人の使節は狩衣《かりぎぬ》に烏帽子《えぼし》をいただき、腰には鞘巻《さやまき》の太刀を佩《は》いていた。随行員の長である外国奉行支配組頭柴田貞太郎は布衣《ほい》に烏帽子でふとった腰を鞍《くら》の上にすえ、他は熨斗《のし》目上下《めかみしも》姿で騎行した。

「まったく未知の文明が、既成の文明に挑戦したという感じでした」

という意味のことを、ロニーは語った。ロニーは当時少年だったが、路上をゆくこの未知の文明の荘厳さに打たれ、さらに日本についての新聞記事などを読むと単に未知であるというだけで日本の文明の歴史のほうがフランスよりも古いということを知って、日本学を志した。

「竹内下野守どの、松平石見守どの、京極能登守どのの三人の行列を見ることによって、私の生涯は決定したのです」

一八六四年（元治元年）三月十六日にも、日本の国使がやってきた。池田筑後守、河津伊豆守、河田相模守《さがみのかみ》がそれで、用件は「日本国内に攘夷論《じょういろん》がやかましく、幕府はほとほと手を焼いている。国内が鎮静するまで通商条約の実施は見合わせたい」という、内政問題を外交上の課題に仕立てたという点で珍妙なものであった。この用件については相手になってもらえなかったが、しかしかれらはナポレオン三世から手厚い歓待をうけ、たがいに理解をふかめたという点では効果があった。皇帝臨御の練兵教練のとき、皇帝のそばに馬を立てていた副使河田相模守は甲冑《かっちゅう》陣羽織という姿で、兜《かぶと》を猪首《いくび》にかけて戦国武将そのままであった。

この池田筑後守の訪仏のとき、ロニーはかれらをホテルに訪ねている。のち将軍名代徳川昭武がパリ万国博覧会にやってきたときも、ロニーはかれらをホテルに訪ねた。

「なぜ日本は西洋に屈してその文明を捨てましたか。残念です」

と、ロニーは川路の洋服姿を見てはじめてその表情を変化させた。悲しげな顔をした。

川路利良は夕刻からは、たいてい一人になる。

「変わったやつだ」

と、沼間守一がひそかに河野にいっていたように、川路はパリじゅうを足にまかせて歩くのである。かれはルーヴルもノートルダムもオペラも凱旋門《がいせんもん》も興味を示さず、宿の主婦が、

「オペラをみたか」

などときいても、だまってわずかに微笑するのみである。ロニーでさえ（ロニーはたえず煙草入を腰に差し、キセルで喫煙するほどに日本趣味者であったが）、

「パリの下水溝だけはよく見ておかれたほうがよい」

とすすめたが、川路は、

「それはやがて太政官から他の者が差遣されて検分に来るであろう」

と江戸言葉で答えて、取りあわなかった。ロニーはその後毎日きた。かれは奇妙なほど川路になつき、

――私が案内して進ぜる。

と、しばしばいったが、川路はそのつど「独りがいい」とことわった。川路は夜の街路を好んだ。ガス灯のある道路ならどこまでも歩いた。むろん毎夜道に迷い、迷うとポリスをさがし、ポケットから宿の所在を書いた紙片をとりだしてみせた。その紙片には、

「自分はすべてのヨーロッパ語がしゃべれない」とも書かれていた。

道をきくと、ときに手をあげて方角を示すだけで行ってしまうポリスもいたが、五人に三人まではわざわざ川路を宿のそばまで送ってくれた。

川路の街歩き《まちある》はそれが目的だった。かれはポリスの様子を観察するためにパリにきているのである。

――パリには police なる市中巡邏《じゅんら》の小官ありて、非常を警《いまし》め、親切をもって職とす。

という手紙を、川路は出発前、旧幕臣栗本鋤雲からもらった。栗本は旧幕臣であるだ

けに、かつての御府内の警察制度に通暁《つうぎょう》していたが、士分待遇の与力《よりき》、足軽身分の同心、さらに同心が私的に追いつかっている目明しのたぐいには良からぬたちの者が多く、とくに町方に対する親切心などというものを職業の伝統として持っていなかった。栗本は明治政府がその伝統を継承することをおそれ、とくに川路に「パリのポリスがいかに親切であるか」ということを吹きこんでおいた。

川路は宿まで送りとどけてもらうたびに、薩摩の大人が若者《にせ》によくそれをやるように、相手の肩をトンとたたいて、

「おやっとさぁ」

と、礼をいった。お役目ご苦労である、という意味である。目上の者が目下の者にいうことばで、すくなくとも「有難う」という語感のものではない。しかし川路はパリでこそえたいの知れない東洋人であるかもしれなかったが、日本国の東京に帰れば、六人の邏卒《らそつ》総長(出発の間際に警保助に任ぜられた)のひとりで、むろんパリのポリスよりも階級は上であった。

ポリスのなかにはこの異国語をおもしろがり、川路が「おやっとさぁ」というと、オヤットサァと川路の肩をたたいて哄笑《こうしょう》する者もいた。

川路は、世にも幸福な男であった。

たとえばパリの夜の街路を照らしているガス灯をみても、

「お前《まん》さァ。よか人ごわンすなァ。俺《おい》が東京へ連れっ帰ってあげもンど」

と、薩摩人がよくやるように、ガス灯を擬人化して話しかけた。その奇妙なしぐさが幸福という意味ではなく、かれが「この設備または制度はわが国に導入するとよい」と思えば、かれ自身の力でたとえばこのガス灯でもいきなり東京に移し植えることができるということであった。かれは草創期にいた。しかも草創の歴史をおこすべく任務と権限をあたえられているのである。

かれはパリの夜を装飾しているガス灯が華麗であるとはおもわなかった。そういうぐあいに頭が働かず、思ったのは、

「これで盗賊をふせげる」

ということであった。

げんに川路のきいたところでは、パリでこの街灯がまだなかった二十数年前までは、暗夜にまぎれて跳梁《ちょうりょう》する痴漢や泥棒が多かったというが、ガス灯が出現してのちはその種の犯罪が激減したという。

ガスを発生させる装置はパリ郊外に設けられていた。川路はわざわざそこまで見学に行った。ここで作られたガスが鉄管によってパリ市中に送られてくるのである。

ついでながら東京のガス灯は川路の献言もあって、この時期よりわずか二年後に出現している。明治七年、東京の芝浜崎町にガス発生所がつくられ、同年十二月十八日、金杉橋から京橋にかけて八十五基のガス灯がいっせいに点火された。その光景を川路は京

橋において見物し、パリのガス灯を懐《なつか》しんだ。

さて、ポリスである。

川路はこのパリに二千人のポリスがいることを知った。たえず市中を巡回し、疾風豪雨の日といえども街頭から去らず、川路の表現によれば「府内平安のため」あるいは動《どう》哨《しょう》し、あるいは立哨していることを知った。かれらの任用法は陸軍の兵役を経た者のうち成績の優秀な者をとるという。その風体《ふうてい》はひと目でわかった。頭に日本の韮山笠《にらやまがさ》のようなかたちの布製のものをいただき、肩には小さなマントをひっかけ、腰には鉄鞘《てつざや》のサーベルを佩《お》びていた。

「ポリスは人民の保母也《なり》」

という言葉を、川路は夜、ベッドのなかで思いついた。かれは枕頭《ちんとう》に鉛筆と紙をそなえておく癖があり、この思い浮かんだポリスについての解釈を書きとめた。

川路はフランスの警官と警察制度を理想的なものとして受けとった。この制度はナポレオン一世のときにつくられ、実際に創案し実施した者はフランス革命以来、あらゆる政権のなかでつねに主流の座を占めつづけたというジョセフ・フーシェであった。フーシェはどういう政治形態のなかでもそれに適合する保護色に自分を染めあげるという天才的な変節漢で、そのことはフーシェの死後半世紀たった川路のこの時期ではすでにパリの知識人の常識であったが、川路はむろん知らなかった。ただこの制度を考えたフーシェを世界史上の偉人であると信じた。

東京

かれらはその後、英国やプロシアなどヨーロッパ各国をまわり、滞欧一年、帰路ふたたびフランスにもどり、マルセーユから極東への船便を得て、海上へ出た。

船にのぼったとき、沼間守一が憮然《ぶぜん》として、

「また遠い国にもどるのか」

と、埠頭《ふとう》をながめてつぶやいた姿が、印象的であった。沼間は個性の強すぎる男だっただけにべつに西洋に心酔したわけでもなかったが、かれが幕末、官軍に抵抗してついに捕えられようとしたとき、フランスへの亡命を考えたことがあった。新潟にフランス汽船が入っている（事実ではなかった）という風聞があり、とすれば我は庄内を脱走すべし、新潟港へ走り、たとえ泳いででもその汽船に投ずべし、汽船はフランス国主権下

にあるものなれば新政府も我に一指も触れること能《あた》わざるべし、と考えたのである。千住まで護送されたときも、

——脱走して横浜でフランス汽船に投ずるか。

と真剣に考えた。しかし護送役の庄内藩士たちの迷惑を考え（かれらはかつての戦友であった）、沼間はその壮挙を空想だけにとどめた。

そのかつての空想の亡命地であったヨーロッパの土をこのたび踏み、一年間滞留して、いまふたたびあの水蒸気の多い極東の島国に帰ろうとしているのである。船がマルセーユの埠頭を離れたときの沼間の感懐には、なにか彼自身にも不可解な、悔恨に似た痛みをともなっていたのもむりはなかった。

船が地中海を走っているあいだ、かれら一行にはなおヨーロッパでの昂奮が続いていた。この昂奮を整理しきっておかないと、日本には帰れないような気がした。

ある日、河野の船室で談論していたとき、ふと土佐人であるこの河野敏鎌が、

「自分はかつて武市瑞山《たけちずいざん》（半平太）がもっともえらい人物であると思っていた」

と、言いだした。かれは土佐郷士の出で、幕末、武市が土佐勤王党を結成したとき、坂本竜馬《りょうま》や中岡慎太郎とともに加盟した。武市は藩の手で投獄され、ついに切腹して死んだが、いま薩長以外の出身というかぼそい立場にいる河野としては、そのかぼそさを思うとき、武市半平太の偉大さやら幕末におけるその劇的な死やらがつねにかれをささえてくれた。

「しかしヨーロッパにきてみると、武市はじつに小さい。さらには武市や坂本が死ぬことによって作りあげた土佐郷士の業績を上士の板垣退助などがまるまる相続したが、板垣もひどく小さいということを知った」

と、いった。

河野は、のちに土佐派が自由民権運動という一大在野勢力をつくりあげるとき、あくまでも官憲側に踏みとどまり、湧《わ》きあがる反政府運動に対しもっとも能動的に弾圧した。この維新の革命家あがりの男は、フランスにおいてかつてのフランス革命に感動するよりも、その革命の果実やら後始末《あとしまつ》やらを官憲的なかたちでまとめあげたナポレオン一世や、同三世のボナパルティズムの国家統治の手ぎわよさに感動したのである。

「川路君」

と、河野敏鎌は川路のほうへ顔をむけた。君は欧州の史上にあって一人《いちにん》を選ぶとすればたれを選ぶ——というのである。

粗雑だが、多少要領をえた滞欧印象整理法でもあった。もともと一行は欧州社会やその文明についてはわずかな偏見以外になんの知識ももっておらず、出発当初はまったく無知であった。たとえば河野敏鎌のごときはさきにふれたように勤王運動のために元治元年このかた「永久牢舎《ろうしゃ》」で藩獄につながれており、維新成立で世の中に言い出てきたが、世間暮らしがまだ五年にしかならないのである。欧州知識などあろうはずがない。

「川路君」

と、河野はもう一度いった。

川路はズボンをぬいで、あたらしい六尺褌《ふんどし》の締めなおし作業をしていた。川路の睾《こう》丸《がん》のつけ根あたりに弾痕があって、そこだけが黒ずんでいる。河野はちらりと見て、眉《まゆ》をしかめた。

「寒《す》びっどねえ（寒くなると）痛み申《も》さ」

と、川路はその古傷をいたわるかのように、丁寧な作業をつづけている。かれは彰義隊戦争のとき、広小路口をうけもつ薩軍の一隊長であった。弾丸雨飛《うひ》のなかを白兵《はくへい》突撃したとき、またぐらをやられて転倒した。友人がひきずって後方へさげてくれたが、外科医がみると、嚢《ふくろ》の上部が切れただけで、睾丸そのものはぶじだった。もしあの突撃のとき臆《おく》していれば陰嚢《いんのう》はちぢみあがって睾丸は上辺にある。川路はやられていたにちがいなかった。

「沼間さァの弾《たま》は好色女《すきもん》ごわしてナ」

と川路はいった。沼間は苦笑していた。沼間はあのころ彰義隊のような戦技をもたない空《から》元気の集団に属しておらず、旧幕府の仏式陸軍をひきいて、土佐の板垣退助を司令官とする官軍とたたかっていたのである。

「川路君、たれだ」

「君《わい》どんから」

言え、と川路はいった。

「わしは、やはり大奈翁《だいなおう》だ。フランスの国威を輝かしめ民法を制定して民生を安んじたのは、フランス革命の大立者ロベスピエールにあらずしてナポレオンではないか」

「おれもかつてはそう思っていた」

と、沼間は河野へ冷笑をむけつついった。幕末の志士たちの印象的知識では、フランス革命をやって自由を高唱したのはナポレオンであるというぐあいになっていた。一七八九年の人権宣言からルイ十六世の処刑、つづいて政治的混乱とナポレオンの出現、同人の没落までの二十五年間を一つの時期と見、あらゆる思想的、国家行為的現象を「ナポレオン」という人名に籠《こ》めて理解していた。

沼間は不意に、

「君らのことをフランス語ではバルバールというのだ」

と、いった。川路は後年、横浜に流寓《りゅうぐう》していたガンベ・グロースというフランスの法律家と親しくなるのだが、かれに「バルバールとは何ぞや。予、かつてバルバールと称せらる」ときくと、グロースは気の毒そうに、

「野蛮人」

と、答えた。

沼間にいわせると子供と未開人はピカピカした勲章や礼装にあこがれるという。河野

がナポレオンを礼賛《らいさん》するのは野蛮未開の証拠だと沼間は言いたいらしい。

沼間はナポレオンの甥《おい》でのちに第二帝政を布《し》いたルイ・ナポレオンには悪い感情はもっておらず、沼間だけでなく幕臣出身の開明派の大ていは、幕府と濃密な関係をもったナポレオン三世当時のフランスにはつよい郷愁をもっていた。

ところがこんどのこの司法制度調査を目的とする渡欧で、かれは弁護士という機能に興味をもち、とくにフランスの共和派の闘士だった弁護士と接触が深まるにつれて、

——すべては民権ではないか。

という信念を抱《いだ》くにいたった。国権の伸張というものがいかに外景が華麗であっても、人民の惨憺《さんたん》たる犠牲の上に成立するものだということを知ったのである。

さらには、国家というものは人民の契約によってのみ成立すべきものだという、ジャン・ジャック・ルソーの思想の解説もきき、一時に目が醒《さ》めるような感動をもった。

沼間守一は天保十四年（一八四三年）にうまれ、明治二十三年（一八九〇年）に病死するまでわずか四十七年の生涯でしかなかったが、劇的な変化に富んでいた。幕府の洋式士官になり、幕府瓦解とともに「亡朝の名誉をまもるため」として革命軍と戦い、捕虜になったのち新政府の官吏になって渡欧、帰朝後、官を辞して民権家になり、一方では新聞を経営し、一方では東京府会に出て政府と東京府の一敵国となった。

沼間が死んだとき、明治初年を象徴する一個の星が墜《お》ちたように新聞雑誌が評したが、「性鷙悍《しかん》」・

と評したのは、「経済雑誌」である。悍とはたけだけし、鷙とはたけだけしさが猛鳥のごとしという意味で、そのあと「もし彼をして政権を握らしめば、随分面白き事もなせしなるべし」とつづく。「国民之友」は「君は……圧制の敵となり、非法の敵となり、自由の味方となり、正義の味方となり、……豪然たる一個の硬漢を以《もっ》て一生を始終したるは三百年前の徳川武士の典型を存したるもの」と評した。

ただ結果からみて奇妙なことは、明治国家はその官費をもって国権家と民権家を製造したことであった。

この帰路船中、沼間はすでに民権家であり、皮肉にも革命の主導勢力に属している河野と川路は国権家になった。

「欧州にて一人《いちにん》を選ぶとすれば」

という河野の設問に対する川路の回答は、

「ナポレオンの警察大臣ジョセフ・フーシェこそそれである」

というものであった。沼間は哄笑をもってこれに酬《むく》い、河野はその名を知らず、言った当の川路もフーシェについてはかれが創始した警察制度しか知らなかった。

川路は、帰国後、かれ自身もその渦中に入る維新成立後最大の艱難《かんなん》――西郷をかつぐ薩摩人の大反乱――というものが待っていようとは、夢にもおもわなかった。

沼間守一と同様、かれの生涯は四十代で終了し、決して長くはなかった。さらに沼間と同様、その生涯は絶えず雷雲のなかにあるような激烈なものであったことも共通している。

ついでながら川路と同様、国権的立場に身をおいた土佐人河野敏鎌だけは五十を越えて死ぬというまでに老い得たが、ただ激烈な人生をもったという点では河野もかわらない。かれが、帰国後ほどなくおこった佐賀ノ乱において法廷を主宰し、恩人であり上司であった元司法卿江藤新平を裁いたことはすでにふれた。江藤に対し斬首《ざんしゅ》の判決をくだした。この間、反乱に関係した佐賀士族四万二千七百四十人の口供書をとり、五十八巻にわたるそのぼう大な書類を連日不眠でしらべ、「事実ヲ摘発スルコト神ノ如《ごと》シ」とまで、その超人ぶりをうたわれたが、この超人ぶりは、日々の平穏のなかにこそ人生の価値を見出《みいだ》す立場からいえば名状しがたい不幸であるともいえる。河野は明治体制を守る側に立ったが、それに反対する側からは、血も涙もない法官として嫌悪《けんお》された。

もっとも民権家になった沼間守一ばかりは、のちの河野の秋霜烈日的な国権擁護主義を、河野にかぎって許容し、許容したばかりか、たれをつかまえても馬鹿よばわりした沼間のようなうるさい男が、さきにふれたように、

「幕末では小栗上野介、明治では河野敏鎌、この二人以外に自分は人物を認めない」

と終生言いつづけたことをみると、沼間の幅が大きいというか、すくなくとも人間を見る価値基準が余人とはだいぶちがっていたように思える。

この帰路の船中、ある日、沼間が河野と二人きりの時間をもったとき、たまたま西郷

隆盛のことが話題になった。

「川路君は、あれは西郷宗のひとかね」

と、沼間はおもしろい形容を用いた。西郷を頭目とする薩摩人のグループを、宗教団体のように形容したのである。

「当然、西郷宗だろう」

「すると、川路君は帰国後、身をひき裂かれるような目に遭《あ》うに相違ない」

「なぜだ」

「――西郷という人はね」

と、沼間はいった。

「おれにとっては無縁の人だし、あの人になんの関心ももっていない。どちらかといえば西郷はおれのきらいな勝安芳（海舟）の友達だからね、嫌いなほうよ」

「それは川路の前では言わぬほうがよい」

と、河野は声をひそめてたしなめた。沼間も心得ていて、いいやおれは薩人の前では西郷のことはいわない、たとえば法華《ほっけ》信者の前で日蓮の悪口は言うべきでないのと同日よ、といった。

その部屋へ、川路が他の二人と一緒に入ってきた。

沼間はすぐ沈黙したが、河野はばつの悪い顔つきで、

「まずい人が入ってきたな。いま大将のことを話していたところだった」

と、正直に白状した。この当時、日本国にあっては大将といえば西郷隆盛一人しかない。のちの軍人の階級での陸海軍大将というのとはすこしちがい、いわば上古の征夷《せいい》大将軍坂上田村麻呂《さかのうえのたむらまろ》といったふうな存在で、兵馬の実務の総元締めであった。要するに大将というだけで、西郷の名前をいわなくても通用した。

「西郷《せご》どんな？」

川路がつぶやき、露骨に不快な表情をしたのは、沼間や河野の予想どおりだった。薩人にとって西郷という名前は異様な電磁力を帯びている。英雄であること以上に聖人仁者ともいうべき存在で、言いかえれば他国者の座興のたねにされて汚されたくないという感じを誰《たれ》もが共通してもっていた。

（川路も、そうか）

と、旧幕臣である沼間には、そういう薩人というものが理解できず、なにか特殊な信仰をもつ未開人か、あるいは人間に対して特異な感激性をもつ集団のようにおもえるのである。

「おれにはわからん」

と、沼間は川路が去ってからいった。「西郷はまるで神だな」

「そういうものでもあるまい」

河野敏鎌はとりなすように、

「幕臣でも、家康公のことを神君とか東照大権現《とうしようだいごんげん》とかいって崇《あが》めるじゃないか」

「冗談じゃないよ」

と、沼間は憤然とした。

「それとこれとはちがう。家康公は過去の人とはいえ主人ではないか。徳川家は主家だ。主家を崇め、主家のために死ぬというのは武士として当然のことだ。主辱《はずか》しめらるれば臣死すという。自分は西郷たちのために慶喜公が辱しめられたために鉾《ほこ》をとって官軍に抗戦した。しかし君……」

と、河野を見つめたまま、

「薩人にとって西郷は主君か」

と迫ったから、河野もてあました。河野は悪い意味でも聡明《そうめい》であった。沼間のような男には西郷のもっている奕々《えきえき》たる人格的光芒《こうぼう》というものが理解できまい、この話題をつづけることは新政府官吏として益がないばかりか、むしろ害があろうと思い、「もうやめよう」といった。

が、沼間はきかなかった。

「日本国は西郷によって不幸である。政府の威権よりも一西郷の威望のほうがはるかに大きいというのはどうにもならぬ。わしは西郷の撥乱《はつらん》反正の大功はみとめる。なるほど古今無類の英雄かもしれないが、しかしその歴史の役目を果たしたあと、なお生きつづけて威望をいよいよ大きくしているというのは、奇怪な光景である。乱のもとではないか」

川路たちの船が上海《シャンハイ》から東シナ海に入ったのは洋上に靉気《あいき》が蒸れるようにこめて、ひどく暑い日であった。安南人のボーイが、夕刻から海が荒れます、しかしこの船はだいじょうぶです、と触れてまわった。

午後になって船室に厨房《ちゅうぼう》のにおいが蒸れてきて川路は胸がわるくなった。

（鹿児島沖を夜すぎるころには嵐だろう）

とおもいつつ上甲板《じょうかんぱん》を歩いてみると、空はまずまず晴れていて、嵐の気配もない。ただ風に湿度があることは、髪の毛が重くなっていることでもわかった。あるいは嵐の前ぶれのせいではなく、日本の気候のためだろうか。

船首のほうへゆくと、人がいた。ぶの厚い肩と、張り出た後頭部は沼間守一のものであった。沼間は後頭部を心もち反《そ》らせて、針路のほうの空をながめていた。沼間の見ている方向に日本列島が横たわっているはずだが、その方向だけは靉気の幕が重くたれていて、水以外のすべてを隠していた。

沼間は、川路によって感興を殺《そ》がれたようであった。ふりむいて、

——なんだ、君か。

と、小馬鹿にしたようにいった。沼間が川路に対してそうありつづけているのは、沼間の偏見とばかりはいえなかった。この外遊中、川路は沼間とほんのわずかしか語って

おらず、自分が何者であるかを披《ひら》いて見せたことがなかった。沼間の印象でいえば川路というのは日に三度、褌を更《か》えるだけの男だということであり、いま別れてしまえば、それきりの印象しか残らないにちがいない。

「川路君、きみは薩人だったな」

と、わかりきったことをきいた。維新後、日本の権力のすべてを薩長がにぎっている。とくに長人よりも薩人のほうが勢力がさかんで、沼間の感じだけでいえばかつての平氏の全盛期よりもすさまじい。しかも平氏や、かつて徳川幕府をつくった三河武士団などとはくらべものにならないほどのエネルギーを薩摩集団はもっているのである。

「おれは高所《たかみ》の見物だからいいが、君はおそらく生涯でもっとも困難な日にあうだろう」

「どういうわけだ」

「そうなる。船が香港《ホンコン》に入ったとき、私はシナ新聞や英字新聞を買いこんで日本の国内情勢の見当をつけてみたが、征韓論でもって灰神楽《はいかぐら》の立つような騒ぎだ」

「征韓？」

川路は去年の秋に日本を発《た》ったのだが、出発前にそういう議論が近衛《このえ》将校のあいだで沸騰しはじめていることは知っていた。しかし多分に書生論じみた奇矯《ききょう》な議論であるとおもっていたし、いずれは立ち消えるだろうとたかをくくっていたのである。川路がそういうと、沼間はうなずき、

「そのとおり議論そのものは書生論で、責任ある一国の経略家なら一笑に付すべきものだが、しかし勢いに乗った時勢というのは悍馬《かんば》のようなものだ。理由があって走り出すものではなく、走るべくして走りだすものだ」

「悍馬のような時勢というものはあるのだ」

という沼間の言葉は、川路の耳をつよく搏《う》った。

「いいかね、川路君、東京へ帰れば、悍馬にふりまわされぬようにし給《たま》え」

「悍馬とはたれのことだ」

「時勢だ」

沼間はくりかえし、「時勢という悍馬には手綱がないのが特徴だ。時勢そのものがくたびれきってしまうまでその暴走をやめない」といった。

さらに、

「英雄ほど、悍馬にのせられる。英雄とは時勢の悍馬の騎乗者のことをいう。西郷という人がそうであった。時勢の悍馬に騎《の》り、二百七十年の徳川幕府をあっというまにうち倒してしまった。幕府は時勢という悍馬に蹴《け》散《ち》らされたのであって、西郷その人に負けたのではない。が、世間はそうは思わず、倒幕の大功を西郷に帰せしめた。このため維新後、西郷はとほうもなく巨大な像になり、ただ一個の人格をもって明治政府に拮抗《きっこう》できるという、史上類のない存在になった」

風が烈《はげ》しくなった。沼間はしきりに髪を掻《か》きあげた。言葉をつづけた。

「くりかえすようだが、幕府は時勢のために倒れた。言いかえれば、幕府が倒れることによって時勢という悍馬は消えた。幕府を倒した悍馬はいまどこにも居ない。いや、この譬《たと》えは、正確ではあるまい。悍馬は居る。西郷の尻の下にだけ居るのだ。西郷というこの巨人はもう役目が終ったはずの悍馬に、なおも騎りっぱなしに騎っているのだ。新政府に不満をもつ連中は、ことごとくその騎乗の西郷を仰いで第二の維新を願望するだろう。願望は満天下に悪気のごとく充満して第二の大乱をおこす。悪気はすでに時勢ではないのだが、西郷は錯覚し、ふたたび鞭《むち》をあげ、悍馬を駆って乱の真《ま》っ只中《ただなか》に乗りだす。明治政府をたおす」

「ほんとうか」

川路がとっさに身を動かしたのは、足もとがくずれてゆくような気がしたからである。川路にとって明治政府は、きわどいながらも唯一の踏み台であり、この政府があってこそ彼が帰国後樹立しようとする警察制度がありうるわけで、その政府が倒れるようでは、警察制度もなにもあったものではない。

「わしは元来亡朝の遺臣だ」

と、沼間はいった。

「だから、時勢を憎んでいる。憎んでいればこそ物が見えるのだ。薩人は今後、日本中を舞台に骨肉相争う騒ぎを演ずるにちがいない。君はその渦中に入らざるを得ぬ」

「いや、私は一介の警吏にすぎぬ」

「みずからを単純に規定してはならん。君は警吏である前に薩人ではないか。しかも君は西郷にひきたてられることによって新政府の錦衣《きんい》を着た男ではないか。君は薩人として業火《ごうか》に煮られるだろう」

鍛冶橋

川路の役所は、内桜田の鍛冶橋《かじばし》にある。

橋をわたってすぐ右側がそれで、もとの津山藩邸であった。

まわりは、かつて大名小路と俗称されただけに旧大名屋敷が軒《のき》をならべ、それらのほとんどがいまは新政府に買いあげられて、なにがしかの役所になっている。看板こそ変わったが、このあたりの景観は江戸期と変わらない。

——この屯営《とんえい》を東京警視庁とすべし。

というのが、帰国の船中で思案してきた川路の構想であった。

フランスの制度に真似《まね》て、首都警察をつくろうというのである。その建議書の草案もすでに船中で書きあげていた。

「夫《そ》レ、警察ハ、国家平常ノ治療ナリ」

という文章からはじまるその草稿は、建議書というより、川路の草創の意気ごみがこもっていて、わずかながらも文学的迫力を帯びていた。

かれはフランスにおいて国家学というものの存在を知った。国家の基本を成立せしめているものは法律であり、その執行機関のひとつとして警察が重視されていることを知った。

――帰国してこれをどう説明すべきか。

ということにかれは困難をおぼえた。江戸体制にあっては警察は一種の不浄機関とされ、たとえば奉行所の与力・同心という職には正規の幕臣がこれに就《つ》かず、原則として一代かぎりのいわば臨時傭《やと》いの身分の者にこれをやらせ、それらを不浄役人とよんだ。そういう頭が、世間にある。ところが川路がヨーロッパで知りえた警察というのはそれとはちがい、国家という、人民にとってあくまでも厳格であくまでも面倒見のいい機関がもつ神聖機能のひとつであるということであった。

かれは、この一点を強調せねばならない。不浄機関ではない、ということを、である。

「ナポレオンノ時ハ〈ポリスノ世〉ト唱ヘシ程《ほど》ノ事ニテ」

と、わざわざ書いたのは、維新の風雲をくぐりぬけた上司のほとんどがナポレオンを革命家であると信じ、ワシントンとならんであたらしい人間社会をつくりあげた最大の人物であると信じていることを計算に入れたつもりであった。川路利良は、言う。ナポレオンこそ近代警察の制度をつくった人物である。さらに隣国のプロシアがそのナポレオン方式をとり入れた。とり入れたおかげでプロシアは、

「四方ヲ切リ従ヘ、威武ヲ世界ニ輝カセシモ、警察ヲ以テ能《よ》ク内外ヲ治メ、常ニ能ク外国ノ事情ヲ探レリ。故《ゆゑ》ニフランスノ強国モ終《つひ》ニ破ラレタリ」

普仏戦争でフランスがプロシアに敗れたのは川路が渡欧する前年のことである。このプロシアの勝利も、プロシアがナポレオン方式の警察を導入したおかげであると、川路は草創者らしい昂揚をもって特記した。ナポレオン方式の警察とは、作家シュテファン・ツヴァイクによって大悪党の烙印《らくいん》をおされたジョセフ・フーシェの発明であることはすでにのべた。


川路はあいさつまわりで忙しい。

「あいさつは郷党の先輩からさきにしろ」

と、かれとかつて同役であった同郷人坂元純凞《すみひろ》が忠告した。ついでながら、邏卒総長というのはこの当時、複数制であった。

つまり邏卒総長は川路と坂元だけでなく、ほかに四人もいたのである。水野元靖、安藤則命《のりみち》、桑原譲、田辺良顕。

このあたりが、明治初年の官制の奇妙さであった。

――権限は一人に帰せねばならない。

と、司法卿江藤新平のまわりにいる外国人顧問などはやかましく忠告していたのだが、しかし日本人にはなお旧幕時代の制度思想が濃厚で、西洋式ではどうも落ちつかないという事情があった。旧時代同様、複数を必要とした。たとえば旧幕時代江戸町奉行が二人いたように、幕府にせよ藩にせよ、あらゆる職の責任者はかならず複数をもって構成され、一人に権力や義務が集中することをおそれた。要するに複数による合議制の上に権力や職責をふわりと置き、それによって物事が非能率になったり、大事にあたって物事が明快に裁断されることがないにしても、失敗というものがよりすくないという期待に重きが置かれた。「無事」であることが最大の価値であるというのが江戸官僚制の主眼であり、その性格が明治初年の政府にもひきつがれていたのである。

さらに、坂元がいう、

「同郷」

という観念ほど、明治初年の太政官官僚《だじょうかん》にとって実質的重みをもったものはなかった。

川路ら太政官官僚の原型は、慶応三年大政奉還のあと京都にできた徴士組織を原型としている。薩長土肥はじめ諸藩が、新政府のしごとをするために「徴士」というものをさしだした。薩摩の西郷隆盛も長州の木戸孝允《たかよし》も徴士であった。それら徴士は、出身藩から俸禄《ほうろく》をもらい、出身藩の藩主を主君としていた。

その原型から川路らは離れることができない。すでに一昨年（明治四年）廃藩置県がおこなわれたが、なおそれは多分に形式的なもので、政府は旧雄藩の連合体であるという実質がつづいていた。余談になるが、これらを解消するために、のちに功罪を濃厚に問われるにいたる、

「天皇の官吏・天皇の軍人」

という絶対倫理がうまれ、さらにはいわゆる天皇制の確立のもとに官僚専制国家が出現するのである。天皇および官僚専制は劇薬であったにしても、明治の中期まではこの方法以外に、日本の政治統合を遂げる道はなかったかもしれなかった。

坂元純凞が、

――同郷の先輩にまずあいさつにゆけ。

といった内容は、具体的にいえば、参議・陸軍大将西郷隆盛を示している。

が、川路たち司法省役人の直接の先輩は、司法卿江藤新平であった。江藤は「薩長土肥」のうちの肥である佐賀藩出身であった。薩摩人にとっては江藤司法卿は形式上の上司であっても、倫理上もしくは情誼《じょうぎ》上の親分ではなかった。

が、川路は坂元の忠告を無視した。

この明治六年という制度の混乱期にあっては、下級警吏にはお仕着せの官服が用いられていたが、川路のような身分の者は私服も着用していた。

川路が司法省に出かけた姿は、他の省の高級官員と同様、旧幕時代の中級旗本の登城

姿とさほど変わりはない。草履とりをつれている。草履とりに挟箱《はさみばこ》をかつがせていた。川路の髪はむろん洋風である。ただし髪あぶらは横浜ですでにポマードが売られていたが、かれは薩摩のビンツケを用いていた。

服装は、黒の紋服である。

大小は帯びていない。

「川路どんの無刀」

というのは、洋行前から薩摩人のあいだで多少取《と》り沙汰《ざた》されていた。太政官布告第三十八号による廃刀令は明治九年三月だから、この当時、士族が大小を帯びるのはむしろ自然であり、官庁でも大刀こそ帯びずとも脇差《わきざし》だけは帯びているという者が多かった。ただ奇妙なことに、無腰の者は薩長土肥の出身者に多く、佩刀者《はいとうしゃ》はたいていそれ以外の藩の出身者であった。もっとも無刀、佩刀いずれも自由とされている。明治四年八月九日に、脱刀の自由が布告されているからである。

司法省では、司法卿江藤新平が待っていた。

江藤は、和装無刀である。髪は七三に分けているが、毛質が剛《こわ》すぎるためにひたいにまで垂れている。両眼が鋭く、およそ笑顔《えがお》を他人にみせることがまれであったが、川路が部屋に入ってきたときにはめずらしく微笑し、川路の一年間の労をねぎらった。

「日本国を法治国家たらしむ」

という江藤の方針と、その鯱《しゃち》が波を排してすすむような推進力は明治初年の内治における最大の偉観であったであろう。

江藤が明治五年四月に司法卿に就任するまでは、日本の司法制度は複雑をきわめていた。旧藩時代と同様、府県知事がその管轄地《かんかつち》での司法権をにぎり、さらに刑部省《ぎようぶしよう》とか弾正台《だんじようだい》とかといったふうの古代の律令《りつりよう》時代の庁名を復活したあいまいな役所も存在し、さらにはあらたな時代のための法律の制定もまだおこなわれず、ほとんど過去の慣例に拠《よ》っていた。

江藤は、就任早々それらを一変した。

かれは西洋語を一語も解しなかったが、西洋流の司法権の独立を宣言し、とりあえず日本国の法憲を司法省に帰せしめた。川路が帰国したこのころは、江藤は省の機能をあげて西洋の民法および刑法の翻訳をすすめており、民生の保護と人権の尊重という、在来日本にはなかった思想をあらたに施行すべき法律に盛りこもうとしていた。

江藤は正義好きであるという点では異常なほどの性格をもち、さらにはその正義を成立させるための論理においてはこの時代での第一等の頭脳をもっていた。

が、川路はその江藤の前で、

「警察は行政の子でござって、司法の子ではござらぬということを欧州で知り申した」

と、江藤の混同を、帰朝報告の冒頭にいってのけたのである。

川路は、薩音という不自由な言語をもっているために能弁ではなかった。

むしろ文語の日本語を得意とした。

「まだ措辞《そじ》が整ってはおりませんが」

と、このとき帰国の船中で書いた例の意見書を江藤の手もとに差し出したのである。

江藤は一読して露骨に不快の色をうかべ、

「川路君、きみはホウコク（法国＝仏国のシナ音訳）のことばができるのか」

と、内容についての不満を、他のことに転じてやや攻撃的な姿勢をとった。

江藤は川路の文章のなかの一句を凝視していた。

「西洋各国ニ於《おい》テ、其《そ》ノ首府ノ警保寮（治安機関）ハ直ニ内務省ニ属シ、府下ノ警保ヲ管掌セリ」

という一句である。それによると、行政警察は内務省に所属すべきで、行政権と司法権は別個のものだという。ところがいまの日本には内務省が存在しなかった。

——だから設けるべきである。

と、川路の意見書はいう。意見書によると、

「内務卿、全国行政警察ノ長トナリ……」

とあり、さらに司法権については司法警察という一項を説き、

「司法卿ハ全国司法警察ノ長トナリ……」

とある。

江藤は、不満である。

この江藤の不満については簡単には説明できないが、やがてかれのこの翌年の反乱(佐賀ノ乱)につながり、その刑死へつながってゆく。

(内務省など、当分要《い》るもんか)

と、江藤は戦闘的にその設立には反対であった。新国家をにわか普請でつくらねばならないこんにち、内務省という国内政治の絶対権をもつ行政機関が出現することは百害あって一利もない、と信じている。

江藤は、日本国をつくりあげるあらゆる法律を自分の手で作ろうとしていた。かれは省内に、

「法典編纂局《へんさんきょく》」

をつくり、憲法をのぞく五法をつくりつつあった。法典編纂局はかれ自身が主宰し、ほとんど昼夜を問わず法律を製造しつつあった。その法律は幾度か革命をへてきたフランス法であり、製法はありていにいえばその翻訳である。江藤は新政府の高官のなかでもっともすぐれた頭脳をもっていただけでなく、不明確ながらも「人民のための国家」というもっとも革命家にふさわしい国家観をもっていたようであり、江藤のそういう気分にとってもっとも適合していたのはフランスの法律であった。

製造方法は、仏学者の箕作麟祥《みつくりりんしょう》が一枚二枚と翻訳してゆく。その一枚二枚の訳文を、江藤主宰の編纂局がただちに検討し、成文化するのである。江藤にすればこの作業を通じてかれ個人が考えている「日本国」をかれ一個の手で製造してしまおうとおもってい

た。

ところが、かれにとって政敵である薩摩人大久保利通がすでに「内務省」の設立を進めつつあり、江藤はそのことを知り、革命人としての危機を感じていた。

「どうだ」

と、江藤司法卿は、川路の返答をうながした。さっきの語学についてである。

川路は動ぜず、「お手もとの」といった。「意見書をもう一度お読み下さい」

「書いてあるのか」

江藤がもう一度読みなおすと、なるほど、

「臣、至愚ニシテ且《か》ツ西洋ノ文語ニ通ゼズ。全ク通弁ノ助ケニ依《よ》ルモノニシテ、得ル所、実ニ尠《すくな》シ」

と、川路は書いている。要するに「西洋語の一語も解せずに西洋の制度を持って帰るというのはひどいかもしれないが」という弁解である。が、川路には日本人特有のかんがあった。このかんは江藤司法卿にも通じるもので、江藤もまたオランダ語さえ知らない漢学的教養人でありながら、かれは日本の蘭学者や仏学者と交際することによって、ヨーロッパの本質を、新政府の大官のなかではもっともするどく見ぬいているところがあった。

川路の文章は、この点でひらきなおっている。

「しかし自分は日本で警察制度の実務に就いてきたから、なんとなく彼此《ひし》の長短がわかるのだ」

という意味のことを、

――然《しか》レドモ、曾《かつ》テ其《そ》ノ事ニ預リシ故《ゆえ》ニ、彼ノ長ヲ見、我ノ短ヲ知ル所アリ。

と書いて、自分の意見書がいいかげんなものではない、ということをいうのである。たしかにいい加減なものではなかった。かれのこの意見書ほどフランスの警察制度をよく理解し、さらに日本に導入すべき骨子を明快に書いたものは、同時代にもそれ以外にもないのである。

江藤には、むろんこの意見書の質の良さがよく理解できた。ただかれは、川路の説く、

――内務省の設立と、行政警察の内務省への移管。

ということが気に食わないだけである。

(大久保の術中に落ちるようなものだ)

と、江藤はおもった。

大久保は大久保で、明治四年の暮から同六年五月まで欧米を視察して帰り、内務省の必要を感じ、みずから内務省を設立することによってそれをてこにして新国家をつくろうとしていた。江藤も司法省をてこにして新国家創造のしごとをしており、しかも不幸なことに両者は犬猿の仲で、たがいに連絡はない。さらにいえば、この大久保・江藤のほかの大官たちは国家の骨格をつくりあげるような青写真ももっておらず、その能力も

なかった。

要するに、両雄が屹立《きつりつ》している。たがいに異なる青写真をにぎって、たがいに異なる日本をつくりあげようとしている。当然、どちらかがどちらかを殺す以外に解決の道はないであろう。

「川路君、この意見書は私があずかる。大久保君には見せるな」

と、江藤はいった。

川路は、「それはこまります」と拒否し、私は口頭ででも大久保さんにこの案を開陳《かいちん》するつもりです、といった。

(江藤卿も江藤卿だ)

と、川路は腹にすえかね、自分の役所にもどってから、

——すこし頭が痛む。

と下僚に言い、自室のフスマを閉めきって寝ころんだ。行儀のいい男だが、このときばかりは羽織袴のまま赤い毛布をひっかぶり、硯箱《すずりばこ》を枕にした。

(俺《おい》のつくりたいのは警察だけじゃ)

と、おもった。江藤は日本をつくりたいらしい。それも江藤の日本で、大久保流の日本とはちがうようである。川路には、江藤日本と大久保日本のちがいなど、さほど関心はない。

――世界一流の警察をつくりたい。

と、川路は考えている。

（司法省は裁判だけをやる所だ。その司法省が警察をにぎって省みずからが容疑者をしょっぴいてきて省みずからがそれを裁くとなればどうなる。日本は闇《やみ》じゃないか）

とおもうのだが、川路はむろん、江藤の真意がそこにはないことはわかっている。

「民権」という言葉を箕作麟祥とともに最初に作った江藤は、そういう兇悪《きようあく》な独裁国家を想定しているのではなく、むしろ逆にフランス式の法律を日本に施行しさってしまうまでのあいだ、他から邪魔をされないように警察をにぎっておきたいのにちがいない。

（江藤卿の真意はこうだろう）

と、川路は思案をめぐらした。

（江藤卿は、いま内務省というものが出現すれば、それが政府そのものになるということを怖《おそ》れている。たしかに、内務省が警察と地方行政をにぎってしまう以上、省ひとつが政府そのものになるおそれはある。江藤卿にとってそれ以上におそろしく思っているのは、その内務省が大久保さんの手でつくられるということにちがいない）

大久保は、官僚専制思想家である。

――日本の町人百姓はまだ、欧米の人民ではない。未熟なること犬猫同然である。

と、大久保は考えていた。犬猫を欧米なみの「人民」に向上させるまで三十年かかる、憲法も自由も権利もそれからのことだ、それまでは有司（官吏）専制という指導主義でゆかざるをえず、内務省は犬猫的な日本を欧米なみの日本たらしめるための強力な権力機構たるべきである、というのが大久保の思想であった。かれは西洋という文明の実物を現地で見て来て以来、いよいよその思想に信念をもち、この方法以外に救国の道はないと信ずるようになった。

江藤はそういう大久保を、

「子供」

と、ののしっていた。江藤は維新を革命とみて日本の社会をフランスの社会に近づけようとする意識があり、長州代表の木戸孝允にも江藤に似た気分があった。しかし薩摩の大久保はやや異質であった。かれがその滞欧中に日本国家の模範にしようとしたのは国家の統制力のつよいプロシアであり、プロシアを切りまわしているビスマルクであった。江藤が大久保を「子供」とみたのは、そういう点も含んでのことであったろう。

——上司である江藤司法卿につくべきか。

「それとも」

と、川路は目をつぶって、二つの命題のあいだを往復しつづけた。

——目下内務省の設立準備をすすめている同郷の大久保につくべきか。

(こまったときに帰ってきた)

と、おもわざるをえない。

他の薩摩系官僚にはこの悩みが無いか、よりすくなかったであろう。川路は特殊な存在であった。なにしろかれは、このあたらしい帝都において三千人のポリスをにぎっている男なのである。ここに仮定が成立する。もし川路がいままでどおり江藤に直属していれば江藤はその治安武力を背景に、大久保を圧倒しようとするにちがいない。
（なにぶん江藤司法卿はああいう人だ。大久保さんを監視し、わずかな不正でも見つければ、見つけ次第警察を動かして追捕《ついぶ》し、新法の示すところによって処断するにちがいない）

川路にとってこれは戦慄《せんりつ》的な想像であった。逆に大久保が警察をにぎったと仮定しても、おなじことである。大久保は江藤に対してそれをやるに相違なかった。大げさにいえば、いま江藤国家が誕生するか、大久保国家が誕生するか、そのいずれかのカギを川路がにぎっているといってよかった。もっとも第三勢力として「軍隊」というものがある。これは陸軍大将としての西郷隆盛がにぎっていたが、これまた爆発寸前の予兆を示すように地鳴りをつづけている。

さて、江藤である。
（江藤司法卿は、みずからの頭脳を恃《たの》んでいるだけだが、結局はだめだな）
と、川路はおもった。江藤の政治的基盤には泣き所が多すぎるのである。
まず最大の泣き所は、
——江藤には回天の功がない。

ということであった。江藤は薩長土の士のように幕末において死を賭《と》して奔走したというような、いわゆる志士あがりではないということである。

「志士」

という、この生死を賭《か》けた冒険家たちが、玉石とりまぜて輩出したのは幕末の特殊現象であったが、江藤が下級武士として属していた肥前佐賀藩（鍋島家）は、藩法として個人の政治運動をかたく禁じていた。

結局、佐賀藩は戊辰《ぼしん》戦争の段階から藩ぐるみで討幕戦に参加し、維新政権の藩閥構成のうえで「薩長土肥」という第四位に位置するのだが、しかし藩としての革命の履歴がみじかいために、この藩閥は集団勢力としての力はほとんどもたなかった。

新政府の大官には「肥」の出身者として江藤のほか大隈《おおくま》重信、大木喬任《たかとう》などの人材がいるが、かれらはたがいに個として存在し、勢力をつくろうとはせず、その点——背景をもたないということで——江藤は政治家としては不備であった。

下谷《したや》の竜泉寺町で、

「戸田様の御下屋敷」

といえば敷地のかたちが複雑で、うかつに塀《へい》に沿って歩いていると、とんでもない方角に行ってしまいかねない。

維新後、勢力交代のあと、薩長土肥の連中が、当時二束三文で売りに出ていた大名・

旗本の屋敷を買いとって住んだ。川路利良もひとにあっせんされて、そういう屋敷に住んだ。

「大名屋敷といっても、どうせ下屋敷だから」

とたかをくってひとまかせにしておいた。戸田家は美濃大垣十万石の譜代大名で、上屋敷は溜池《ためいけ》にあり、中屋敷は芝将監橋《しばしょうげんばし》にあって、この下谷竜泉寺町の下屋敷は勤番侍の宿舎程度にしかつかわれていなかった。

ところが入ってみると、とほうもなく広大で、

「こら、広か。吃驚《びっくい》すっと」

と、仲介者に対し「ほんのすこし頒《わ》けてもらうだけでいい」とたのんだ。そのとき川路は心境を説明して、

「今ン情勢はひっ崩《くず》え易《や》し。俺《おい》も永《なが》くはなか。いつ鹿児島《かごんま》ィひっ込むかもしれんじゃって、東京さ蝸牛《つんぐらめ》がごっ家でよか」

と、いった。洋行前のことである。東京の政情不安定をみて、やがては乱がおこり、そのときは官をなげうって故郷に帰らねばならぬかもしれないということをこの男は早くから覚悟していた証拠になる。薩摩人が共有している執着力の稀薄さという点では、川路も例外ではなかった。

さて、屋敷である。

「蝸牛がごっ家」

と川路がいったのだが、戸田家のほうでは半分だけということになった。その半分で、敷地一万五千坪という広大さである。

もっとも塀の内は草木のはえっ放しの空地が多く、建物は粗末な本屋に長屋がたくさんあるにすぎない。川路はそれらを改造せずに住み、そのまま洋行し、ふたたびこの化物屋敷のように古びてしまっている大屋敷にもどってきた。

妻は、沢子といった。

川路が帰朝した早々、沢子の顔をまじまじ見て、

——青いのか白いのか。

と、くびをかしげた。南国うまれの沢子が東京ぐらしのために変に色が白くなって、この化物屋敷にいかにも永年住みついているような顔色に見えたのである。

「まあ、化物に見えますか」

と、小柄で身動きの機敏な沢子は半面臆病《おくびょう》で、自分で自分をこわがるようなところがあった。川路がこのとき「化物にならぬよう、そのあたりを野菜畑にして百姓女のようになれ」とすすめたのは、この男は女の不健康な美しさというものを真底からきらいだったらしい。

川路は江藤司法卿に帰朝報告をしたあと、大久保利通を訪ね、帰朝のあいさつをした。大久保は明治八年に、西郷党から「豪奢《ごうしゃ》すぎる」として糾弾されたペンキ塗りの洋館

を建てたが、この時期は野ぎつねか何ぞのように、門も玄関も朽ちた荒屋敷に住んでいた。

客間は昼でも暗く、ただ畳があたらしい。座ぶとんは置かれていない。客間に座ぶとんを用いないのは武家一般の風だが、薩摩ではことにそうで、客も主人も素のままで正坐する。

大久保はこの時期、自宅で内務省設立準備をすすめており、ほとんど外出しなかった。もっとも客間にはまだ姿をあらわさない。

この当時、薩摩出身の二十代の官吏、軍人あるいは書生たちは、西郷か大久保の屋敷に出かけて行って話をきくという習慣があった。

当時の若者の大久保についての印象を二、三採集すると、維新前、坂本竜馬たちの神戸海軍塾にいて日露戦当時の海軍軍令部長だった伊東祐亨《ゆうこう》（鹿児島城下清水馬場出身）は、

「余は今までに大久保さんほど厳格でこわい人に出会ったことがない」

と言い、おなじく日露戦争のとき海軍大臣だった山本権兵衛《ごんのひようえ》（薩摩藩の右筆《ゆうひつ》の子）はこのころ築地にあった海軍兵学寮の生徒だったが、娯楽のとぼしい時代だけに、休日には郷党先輩を訪問するのがたのしみだったらしい。

山本権兵衛は、いう。

「仲間と西郷翁のところへ押しかけてゆくと、翁はいつもよろこんで相手になってくれ

た。〝何《ない》か、話をして賜《たも》はんか〟と頼むと、翁は〝俺《おい》は噺家《はなしか》じゃなかで、何《ない》を聞かせっあげてよかか、わからんで。お前《はん》たちのほうで、何《ない》か、聞きやはらんか〟なんでも質問せよ、という風で、接していてあたかも春風に触れるがような長閑《のどか》な気持になる。辞して門を出るときは、もう胸中名状しがたい愉快が湧《わ》いてくるのである」

「しかるに」

と、山本権兵衛はいう。

「大久保さんはこれとは反対で、いかにも怖い顔をしておられた。言葉はすくなく、ただわれわれはその威厳にうたれて、こちらから言いたいことも言われず、小さくなって帰るのが常であった。自然、人気は西郷さんのほうにあつまった。わが輩も大久保さんより西郷好きであった」

当時の薩摩出身の若者の気分が多少うかがえるであろう。

山本は後年、大久保という人を理解するには当時自分の齢《とし》が若すぎたということがあるかもしれない、と言い、長州出身の伊藤博文に、

——大久保というひとはどういう人でしたか。

ときくと、伊藤は長州人でありながら、明治後その親分格の木戸孝允になじまず、大久保を知るにおよんでその信徒になり、それやこれやで木戸から嫉《そね》まれたというほどの人物だっただけに、かれの大久保観はきわめて熱っぽいものであった。

山本権兵衛が、

——大久保さんは怖かった。

という、大久保については、誰でもそのふしぎな威厳ということを言う。伊藤博文も、

「あの人の威厳は一種天稟《てんぴん》であった」

と、論じている。伊藤にいわせると、威厳というのは一般に傲岸《ごうがん》偏狭な精神もしくは性格から出ている。しかし大久保の精神にも性格にもそういう狭隘《きょうあい》さがいっさいなく、

「めずらしいほどの広量な人物で、公平無私であり、人というものがそれが何者であっても重んずる風があった」

と、伊藤はいう。伊藤は長州閥に属しながら明治の官僚時代には薩摩閥の二大頭目の一人である大久保にその才を愛され、大いにひきたてられたことを大久保の広量の例証としているのである。

余談ながら、伊藤はこの明治初年における若手官僚時代に、明治政府の三大頭目に親《しん》炙《しゃ》した。西郷隆盛と大久保利通、それに長州の木戸孝允であった。伊藤は、明治官僚の切れ者たち——たとえば佐賀の大隈重信のような連中——と同様、西郷隆盛という一見愚者のごとく、世評のみいたずらに大きい存在を一種の荷厄介者《にやっかい》あつかいにし、さらに木戸という革命の英雄を鬱病的《うつびょう》な評論家的存在と見、むしろその両人より大久保を押し立てることによって新国家をつくりあげようとした。かれら才腕家たちは大久保の下でなら自由にそのもちまえの才腕をふるうことができたのである。

これも余談ながら、後年、木戸の死後、その嗣子《しし》の孝正が襲爵《しゅうしゃく》のあいさつに伊藤家へやってきたとき、たまたま薩摩の山本権兵衛も同席していた。

「人間は、心が狭くてはだめである」

と、伊藤は、旧幕時代、かれを一介の百姓身分から足軽、士分へとひき立ててくれて人がましい働きのできる所までもちあげてくれた木戸孝允に対し、悪口ではないにしても、それに近いことをいった。

「憚《はばか》らずに申せば、君の先代の木戸公は心のひろいほうではなく、むしろ狭いほうで、人を容《い》れることができなかったために、大した仕事も成しとげられなかった。自分は先代木戸公には容易ならぬ知遇を受けたが、しかしその間、先代の狭量にはこまったことも多かった。そこへゆくと、大久保利通という人はまことに度量が広かった」

と言い、その例をあげた。

維新後の大久保という存在に対し、客観的には西郷は政敵の立場をとり、木戸も含むところが多かった。

ところが大久保は、伊藤の前でも西郷の話題が出ると、

「老西郷」

と、この幼な友達を敬称でよび、さらに木戸に対しては、

「木戸先生」

と、丁寧に尊称をつけた。しかも伊藤の観察したところでは、そういう態度に作為の

様子がなく、しんから老とよび、先生とよぶ風であったという。

同時代人からみた大久保評を、いますこしつづける。

奈良原繁という薩摩人がいた。幕末、島津久光の命で寺田屋に屯集《とんしゅう》している同藩人の有馬新七らを討ちとった人物である。

ついでながら薩摩人は三つの派閥にわかれていた。大久保党、西郷党、それにその双方に対して相容れない超保守主義の島津久光党である。奈良原繁は旧幕以来久光の側近であったため、久光党に属していたが、明治十一年に官に仕え、のち男爵をさずけられた。

奈良原は、酒癖がわるかった。酔って管《くだ》をまく乱酔癖のことを薩摩語で「芋掘り」という。

ある宴席で、奈良原があばれた。奈良原にすれば官に仕えた以上、

——芋掘りも今日でおさめだ。

というつもりがあったらしく、目が据わり、言葉は殺気を帯び、座のたれもが、この維新の風雲を文字どおり血刀をさげて斬りぬけてきた男の狂酔をとめることができなかった。

たまたま大久保が同席していた。奈良原にすれば大久保などは旧朋輩で頭から無視したかったのだが、狂酔がきわまったころ、大久保がジロリと奈良原を一瞥《いちべつ》した。

この一瞥の物凄さに奈良原の酔いは一時に醒め、醒めただけでなく、いかにも薩摩風の気の早さで奈良原は膝をなおし、

「悪ルゴアシタ」

とあやまると、大久保は「フフン」と一笑してあとはなにもいわなかった。奈良原は、伊藤のいうこの大久保の「威厳」にはすっかり参ってしまい、晩年になっても大久保を偲《しの》ぶ座ではかならずこの話を出し、

「大久保は落付いたものでごあンした。エライものでごあンした」

と、語ったということが、『南島夜話』に出ている。

その大久保も、外遊して帰ってからは冷厳ナルコト北海ノ氷山ノゴトシといわれたその態度にやや洒脱《しやだつ》な味が出て、大久保に接する連中のなかには「よほど話しよくなった」という印象を語る人もあった。しかし人によっては、

——あれほど話しにくい男はない。

という者もあった。土佐系の頭目のひとりで、気宇粗大、言説粗放といわれたいわば大風呂敷《おおぶろしき》の後藤象二郎《しようじろう》などは、

「大久保と議論を上下すれば、まるで岩石にぶつかっているような心地で、じつに議論のしにくい男だった」

とこぼしているが、大久保は後藤式の非実際的な大ぼらというものが頭からきらいであった。

とくに外遊から帰ってから、

「建国の大業は、議論弁舌でもゆかぬ。やりくり算段でもゆかぬ。虚喝《きょかつ》でも不可。まして権謀術数ではどうにもならず、着実なる実務の積みかさね以外に方法はない」

と、身辺の者に話していた。

さて、川路のことである。

川路が半時間ばかり客間で待った。やがて大久保が出てきて、丁寧にお辞儀をした。大久保はたとえばその唯一の道楽である碁においても珍奇なほどに上品な碁といわれたが、行儀のよさも類がなかった。

川路は、江藤司法卿にみせたかれの新警察制度論を、大久保にもみせた。

すでに触れたように、川路のその草案というのは、

——行政警察は司法省が管掌すべきではない。内務省がにぎるべきである。

ということが骨子で、いま物情騒然たるなかで独り内務省を設立すべく沈黙の作業をつづけている大久保としては、いわば孤軍が、にわかに砲兵数個旅団の援軍を得たより心強いことであろう。

大久保は川路からいわれるまでもなく、警察は内務省がにぎるべきであると思っており、さらには内務省こそ政府そのものであるという思想をもつにいたっている。

かれは外遊中、英仏の実情をみてその必要を痛感したが、ドイツへ行ったとき、高名

な国家学者シュタインをその別荘にたずねて講義を聴くにおよんで、かれの内務省設立の抱負は信念のようなものになった。

シュタインは、国家と社会とは別な原理に立つものだ、と大久保にむかって説いた。

「国家がやる行政とは何か」

と、シュタインは説いたらしい。いうまでもなく行政とは国家がなすべき労作だが、その労作とは――とシュタインはいう。

「社会の階級対立の矛盾を緩和することを目的とするものである」

そのためには地方自治の確立が必要だ、とシュタインはいう。

「ドイツにあっては」

と、シュタインは英仏よりも後進国であるドイツの例をあげて懇切に説明した。ドイツでは十九世紀のはじめにまず市町村制を改革して地方自治制の基礎を確立し、それによって自治心を養成することからはじめた。憲法はまだなかった。地方自治制を確立して十数年後にはじめて憲法が発布された。

「それゆえ、日本は憲法発布をいそぐ必要はない」

ともシュタインはいった。ついでながら外遊に加わらずに東京で留守をしていた江藤司法卿のほうが急進的で、かれは必要な法律を大いそぎでつくりあげたあと憲法まで自分の手でつくってしまおうという気配をみせていたが、大久保はシュタインの言葉を天啓のごとく考え、

「まず国家（具体的には内務省）の指導と管理によって地方自治制の基礎をつくる。憲法うんぬんなどはずっとのちのことでいい」

という思想をかためるにいたった。内務省がシュタインのいう「社会の階級対立の矛盾を緩和するための労作」をおこなうには強力な警察力が必要なのである。それを司法権のみを管轄すべき江藤司法卿などの手ににぎられては、日本国家は誕生早々において異常なものになる——というのが大久保の信念になっていた。

大久保は、川路の前で丹念に川路の警察建設の草案を読みつづけた。

大久保は書類から目を離し、しかし川路のほうには顔をむけず、左手の紙障子の一点を黙然《もくねん》と見つづけた。

大久保は執拗《しつよう》な性格をもっている。物を考えるときには、眼前の人間を石のように黙殺することができた。彫りの深い端正な顔には無用の肉はすべて削《そ》ぎとられていて、どうやらそのことは容貌だけでなく精神もそのようであった。かれは仕事をするためにのみ世の中にうまれてきたかのようであり、他に無用の情熱や情念をもたず、さらにはそういう自分の人生に毛ほどの疑いももっていなかった。

大久保には厳乎とした価値観がある。富国強兵のためにのみ人間は存在する——それだけである。かれ自身がそうであるだけでなく、他の者もそうであるべきだという価値観以外にいかなる価値観も大久保は認めてない。

――なんのために生きているのか。

という、人生の主題性が大久保においてはひとことで済むほどに単純であり、それだけに強烈であった。歴史はこの種の人間を強者とした。

大久保は、川路に顔をむけた。むけるとき、

「うん」

という、意味不明の発声をしてみせた。なにか言え、という言葉の代わりの、いわば合図である。大久保が威張ってそうしているのではなく、薩摩の士族言葉には、余計なあいさつ言葉や、人間関係をやわらげるためにのみ存在する冗漫な慣用句がほとんどないのである。この日本でも特殊な言葉は、大久保や川路だけでなく薩摩人全体の発想や行動に大きく影響していた。

川路は、草案の説明をしはじめた。

大久保はじつによく聴く。聴く場合の態度は平素の大久保とは打って変わるほどに別人のようであり、口もとにかすかな微笑をのぞかせ、無個性なほどの温容を作った。

「あたかも二人に接するがごとし」

とさえ同時代人からいわれた。大久保のその態度は、

――自分の容儀がどうも氷のようで、人は意見を言いにくいらしい。

と、自分を知りぬいての演技であることは間違いなく、たとえば薩摩人以外の人間に接するときは、かれのこの程度の別人ではまだまだ手ぬるいと思い、目をつぶって聴く

ことが多かった。土佐の中江兆民《ちょうみん》がまだ書生のときに大久保に面接し、フランスの社会について長広舌をふるったことがある。そのとき大久保は目をつぶってきいていた。途中、兆民は怒り、「いかにそれがし若輩とはいえ眠って聴くということがありますか」と抗議すると、「私が目を開《あ》けていては話しづらいだろうと思ったからです」と大久保がいった。

川路は口頭での説明を終えた。

大久保はこれについて裁決せねばならない。大久保は即答しないことで有名であった。案件に対する彼の返事というのは、三種類あるといわれていた。否決する場合には、

「それは御評定《ごひょうじょう》になりますまい」

という表現をつかう。御の敬称は太政官（新政府）に対するものである。旧幕時代も幕府の老中以下の官僚は公務を御用と言ったように、しごとにはいちいち敬称をつけた。政権は将軍一人にあり、老中以下の政務は将軍家を輔《たす》けるための行為であったからである。

ちなみに明治維新は無数の異分子の参加によって成立した革命であったが、生き残って権力の座についた大久保一個の意識ではこれは厳密な意味での革命ではなく、徳川政権が太政官政権に移行しただけのものであるというにおいがあった。つまりは将軍が天皇に変わっただけのことであり、だから旧幕時代の官僚用語どおりに「御評定」などと

この人物はいう。漸進主義者である大久保によれば政務は旧幕どおりに荘厳なものなのである。

「それはトクと考えておきます」

案件をきいて多少魅力を覚えるときは、

と、この場合は彼自身が保留するために敬称はつかない。その案件を採用する場合は、

「それは御評定にかけましょう」

というのである。断定的な表現ではないにせよ、熟慮を好む大久保にとってはこれが最大級の表現であり、「かならずやります」ということであった。

ところが大久保はこの川路の案件に対し、

「タチンコンメ」

という超最大級の裁決をあたえた。

タチンコンメというのは、「ぐずぐずせず、いますぐやる」という場合につかう薩摩言葉である。薩摩ではカッコイイということを昔から「ムシャ（武者）ガヨカ」という。タチンコンメは「太刀の来ぬ前」という意味である。

「イッコンメ」

という同義語がある。一騎来ぬ前という意味で、要するに「すぐ」ということである。

この藩だけは江戸期三百年間、鎌倉・戦国の武士の習慣や気質を濃厚に残した。藩内に百二カ所の山寨《さんさい》をもち、郷士という他藩のような名誉身分ではなく、実質的な屯田兵式

の軍団制をもって藩境をまもり、「他国の風習に似てくれば薩州は弱くなる」という島津義弘の遺訓を奉じて独自の武士文化をつくりあげたために、日常のさりげない言葉までが意味をさぐると殺気を帯びている。

「東京警視庁」

というのが、川路がこの献策のときに考えた首都警察の呼称であった。

大久保が、川路の案件を即決してこの設立をいそがせたのはたしかにソチンコンメであり、明治七年一月十五日には発足してしまっているのである。

川路がそのただ一人の総指揮官になった。あたらしい呼称によるかれの官職は「大警視」である。

川路の苦痛は、帰朝の直後からはじまっている。

あいさつの順であった。

かれは当然、自分を欧州に派遣した直属上司である江藤司法卿へのあいさつを先にした。次いで郷党の先達である大久保のもとに行ったのは、川路なりの実務上の順序で、情誼上の順序ではない。

「警察は内務省が管掌すべきだ」

というかれの行政思想がそれをさせた。いわば大久保にその重大事を献策することによって江藤司法卿を売ったことになるが、川路にとって警察の創建は、絵師が絵に熱中するように、それそのものが目的のすべてであった。

　川路はそのように生まれついているといってよく、といって天性警察が好きかといえば、そういうことでもなかった。対象は何でもよかった。機械玩具《がんぐ》に熱中する子供の性《さが》に似ていた。そういう少年の持つ熱気や好奇心が、長じてもなお失われずにいる場合、たいていの者が川路になりうるにちがいない。

　川路は、かれが取り組んでいる警察という機械玩具を分解して機構を知りつくしてしまっただけでなく、あたらしい機構を導入してそれを改造し、よりすばらしい回転がおこなわれるように望んだ。さらにはその機械玩具の新機構にふさわしい動力を入れ込もうとした。動力とは内務省という行政権力のことであり、そのために江藤から大久保へ、警察機構もろとも乗りかえてしまおうとしたのである。

「大久保は子供だ」

　と、江藤はのちにそういう表現で大久保の本質を罵倒《ばとう》したが、江藤があるいは右のような意味で「子供」といったとすれば、大久保も川路と同類の人物であるかもしれない。この種の子供じみた熱中者は、偏執的といえるほどに執念ぶかい反面、一身上の他の利害においては痴人のように恬淡《てんたん》としていて、その執念の液質はいかなる大人たちよりも透明度が高かった。

「川路は、小役人だな」

　と、この川路のあいさつの順を司法省の同僚として観察していた沼間守一はつぶやいた。小役人には直属上司である江藤司法卿がたれよりも大切であり、次いで大切なのは、官僚社会の親玉である大久保利通であった。

「川路は、かれの最大の恩人である西郷に対するあいさつをあとまわしにした。西郷はいまのかれにとって直接の利害関係がないからだ」

という観察で、沼間は川路を小役人とみたのである。やがて民権家になる沼間にすれば、この観察は甘すぎた。川路が、帰朝あいさつをしているあいだに、大久保とともに頑丈《がんじょう》きわまりない国権をつくりあげるべく、あっというまにその基礎工事の打ちあわせをやってのけたということを、沼間守一は気づかなかった。

川路は、もっとも遅く西郷のもとに行った。

このころ西郷は日本橋小網《こあみ》町の旧武家屋敷に書生同然の姿で住んでいた。

江戸が東京に変わったというありよう（ヽヽヽ）は、大名や旗本の何千、何万坪という宏大な屋敷に、

「官員」

という新時代の権力者が入りこんで住みはじめたということであろう。東京の多くの庶民にとっては、この種の御前様《ごぜんさま》どもの田舎なまりが耳ざわりなだけで、変わりばえはしなかった。

日本橋川の北岸の一角が小網町で、そこにかつての酒井雅楽頭《うたのかみ》の中屋敷があり、なが

いなまこ塀が思案《しあん》橋あたりから汐留《しおどめ》橋までずっとつづいている。

「いまは薩州の軍人やら書生やらが群れて住んでいるらしい」

といううわさがあったが、当主の名前は知られていない。

ときどきとほうもない大男が、門のくぐりから出てくる。紋服に羽織袴という姿だったり、薩摩絣《がすり》の着流しに小さな脇差を一本帯びているという格好だったりした。関取でもない証拠に頭は丸坊主であった。太い眉《まゆ》の下に闇の中でもぎょろりと光りそうな大目玉をもっていて、見様によっては伝奇小説に出てくる海賊の大頭目《おおとうもく》のようでもある。

これが、西郷参議であった。

通称は吉之助、名乗りは隆盛。

もっともこの隆盛というのはかれの旧幕末奔走当時からの同藩の同志である吉井友実《ともざね》が、新政府に名前を届け出るにあたって、

「吉之助の名乗りは何じゃったかナ、たしか隆盛じゃったナ」

とひとり合点《がてん》して登録してしまった名前である。じつは隆永がその名乗りであった。隆盛とは亡父《おい》吉兵衛の名乗りであったのを、吉井はかんちがいして届け出たのである。

「アア、俺《おい》は隆盛でごわすか」

と、西郷は訂正しにもゆかず、結局はこの名前が歴史のなかのかれの名前になったが、かれ自身はつねに通称のほうの西郷吉之助を称していた。

ついでながら似たようなことが、彼の弟の西郷慎吾の身にもおこった。西郷家の名乗

りは代々「隆」の文字がつくのだが、慎吾は隆道《たかみち》であった。新政府の係りの役人が名乗りをききにきたとき、

「ジュウドウじゃ」

と、慎吾はいった。薩摩音は日本語にめずらしくラリルレロがL音に近い。リュウがジュウときこえるのである。

「あ、従道でございますな」

ということで、登録されてしまった。自分の名前などどうでもいいという桁《けた》のはずれたところが、この兄弟にあった。

さて、小網町の屋敷である。

西郷はその屋敷はぜんぶは使わず、長屋の一角だけを居所にしており、郷里から妻子さえよびよせていなかった。西郷にとって東京は、というよりも新政府の大官という浮世の栄誉は、この一事をみても、身に付けてしまう存念がなかったかのように思われる。

川路利良が西郷の寓所《ぐうしょ》をたずねたころの日本橋小網町かいわいの景色は、維新後わずかな歳月しか経っていないのにすでに多少の変化がおこっている。

日本橋の下を流れている小さな川のことを、当時の文人萩原乙彦という人物は、

「これ即《すなは》ち五大洲《しう》へ、遠く行くべき水原《するげん》」

と、いかにも文明開化時代らしい昂揚をもって書いている（明治七年・東京開化繁《はん》

昌誌《じょうし》）のは、明治初年の稚気というべきであろう。

日本橋川の北岸の魚河岸のにぎわいは、かつての旧幕時代とかわらない。

日本橋の橋の南にはすでに煉瓦《れんが》建《だて》の電信局ができており、四方に電線が張られていて、この電線の保護のために、東京府第百三十六号の布告により、

「巨大の紙鳶《たこ》を揚げ、妨害をなす者うんぬん」

という法令も出ていた。

このあたりからやや離れているが、政府は海運橋のそばの牧野豊前守屋敷を買いあげて国立銀行を創建し、その建物はすでに完成していた。清水喜助という者が設計施工した和洋折衷のグロテスクな建物で、五階建とはいえ楼閣ふうのものであり、第五層第四層は塔の形状をなし、第三層は日本の城の屋根をつけ、第二層と第一層が洋館になっているため、想像上の怪獣でも見るような感じがある。これについても、西郷が小網町に寄寓していたころにこのあたりを文章で描写した萩原乙彦によると、

「越王の起したる瑯琊台《ろうやだい》も斯《かく》や有《あり》けむ」

と、賛嘆している。

日本橋川の南岸から西郷の小網町へゆくためには鎧橋《よろいばし》をわたるが、この橋も明治政府が架《か》けた。

川路がその鎧橋をわたって西郷の屋敷へゆくと、西郷は不在であった。

「先生は何処《どけ》おじゃしたか」

ときくと、薩摩うまれの下僕の熊吉が出てきて、

「先生は下総《しもうさ》ィ鉄砲打ちィおじゃして」

夕刻には帰られるはずだ、と答えた。

西郷のこの寓居での家族は、男ばかり八、九人である。熊吉は幕末当時から西郷につかえている古い下僕だが、明治後、薩摩伊集院《いじゅういん》うまれの与助が加わり、さらに同谷山うまれの市助、おなじく矢太郎、鹿児島城下でうまれた書生の小牧新次郎などがその面々であった。かれらの仕事はおもに掃除と雨戸の開《あ》けたてであった。この大屋敷は毎日雨戸をあけて風を通さないと朽ちてしまう。それを一人でやる場合、朝からあけはじめて昼前におわるという大変な作業で、しかもその宏壮な屋敷を使おうとせず、かつて足軽が住んでいた門長屋の一角を居所としているだけであった。

川路が待っていると、ほどなく陸軍少将桐野利秋が、黄金《こがね》作りのサーベルを鳴らしながらやってきて、川路の控えている部屋に入ってきた。この部屋を、桐野は下宿がわりに使っているらしく、かれは川路には無言で軍服をぬぎはじめた。桐野はどういうわけか、川路を好んでいない。

桐野利秋はぐるりと兵児帯《へこおび》を巻きつけると、

「飯ゅ、食っていかんか」

と、川路のほうへむいた。川路も川路であった。新帰朝のあいさつもしなかった。桐

野のほうも、欧州はどうだったかなどとたずねもしない。無用のあいさつや余計なことばを言わないという、かれらの故郷の習慣がそうさせているだけで、べつに険悪な空気というわけでもなかったが。

そこへ下僕の熊吉が、不器用な手つきで茶を運んできた。

「茶どん、飲まんか」

と桐野があごをしゃくったのは、川路にとって笑止千万であった。桐野はこの西郷の寓所を自分の家のようにしてふるまっているのである。

（こン和郎《わろ》は、西郷《うど》さァを独《ひと》り占めしちょる気じゃど）

と川路は肚《はら》のなかで苦りきったが、しかし顔つきだけは蛙《かえる》が空を見ているように無表情でいた。

桐野は外遊したことのない男だが、川路がみたところひどく西洋人くさい男で、顔のえらのあたりにわずかながらひげをはやして、鼻下だけはきれいに剃《そ》り、フランスあたりの貴族で騎兵連隊長で独身の遊び者といった、なにか天性の豪儀さを身につけていた。部屋のなかにかすかに芳香がただよっているのは、桐野が横浜で買ってくる香水のせいであるらしい。

桐野は、体の中を颯々《さつさつ》と風が吹き通っているような印象の男で、この時期、かれが酒楼にあらわれると、他の座敷の芸妓までが落ちつきをうしなうといわれるほどにおんなどもに騒がれた。

ついでながら、この男が幕末の京都で活躍したころ、

「薩摩の中村」

といえば、新選組でさえ道をよけた。ずいぶん人を斬ったが、そのすさまじさはつねに一撃で相手を斃《たお》してしまっていることであり、しかも歩き足のままで抜刀し、歩き足のまま刀を構え、斬っても歩き足をやめず、斃したあとも歩き足をつづけるという典型的な示現流剣法を身につけていた。名は半次郎といった。「人斬り半次郎」という異名で知られたのは、この男である。

維新後、いきなり陸軍少将になったのは、西郷のひきたてによるものだ、ついでながら西郷はかれがひきいて戊辰戦争の戦火を掻《か》いくぐらせた薩摩人のうち、とびぬけた勇敢さと聡明さを兼ねた者としてただ二人の男を選《え》りぬいたという話はよく知られている。二人とは、川路と桐野であった。

西郷は桐野を陸軍少将にして近衛兵をひきいさせ、川路に対してはのちの呼称でいう大警視にし、警察をひきいさせて東京の治安を担当させたのである。


すこしく、余談をはさむ。

西郷隆盛についてである。

かれは戊辰戦争が片づくや、廃藩置県に賛成した。これについては、

「西郷にだまされた」

というふうに、かれの藩主の実父島津久光が思い、大いに西郷を憎んだのもむりはなかった。たしかに久光にすれば、西郷を指導者とする革命的な家臣団に裏切られた。薩摩藩は身銭を切って幕末から維新にかけて時勢の回転のために奮闘したが、藩主島津家からみればその結果として出てきたものは、「藩」の廃止であった。

久光の不満を西郷は黙殺した。かれは久光が憤慨したような不平が毒煙のように日本中に充満するものとおもい、

——むしろ革命戦はこれからだ。

と、大いに意気ごんだ気配があった。かれは廃藩置県によって東西に不平が爆発した場合、薩摩藩の単独武力によってそれを片づけるつもりであった。西郷は極端な保守家である久光から憎悪されていることを知っていたが、家臣である立場上、主筋の久光を説諭することはできず、むしろ「廃藩置県」という第二革命戦を薩摩藩の主導でやることによって、久光の後世に対する名誉を確立しようとする狙《ねら》いも含めていたようであった。

西郷は戊辰戦争の終了後、東京から鹿児島に帰った。ひとつは、強大な鹿児島軍団をつくるためであった。

すぐさまかれは編成にとりかかった。戊辰戦における薩摩軍の軍隊単位は「小隊」が基準であったが、このときはじめて「大隊」という単位をつくった。八個小隊を一個大隊とするのである。

それを全藩で常備・予備をふくめて四十九個大隊という、日本最大の藩陸軍をつくった。ただし長州の奇兵隊のように百姓や町人まではふくめず、すべて士族をもって構成したのは、薩摩藩の固有の事情による。

薩摩藩の士族には大別して二階級あり、城下士（上士）と郷士であった。西郷はこれをべつべつに編成した。城下士の常備大隊が四個大隊であるのに対し、郷士のそれは十三個大隊である。

桐野利秋は、この城下士の常備大隊の一番大隊長に任ぜられた。二番大隊長は篠原国幹《くにもと》で、三番大隊長はのちの海軍大将川村純義、四番大隊長はのちの陸軍中将野津鎮雄《のづしずお》である。

この藩人事がおわったとき、戊辰戦争に小隊長として従軍した山下房親という者が、ある日西郷をたずねて、

「川路どんが入っておりませんな」

と、奇異に思った。奇異に思われるほどにこの戊辰戦争終了の時点ではすでに川路の存在は大きかったのである。

「ああ、正《しよう》どん（川路）のこっな」

と、西郷は言い、正どんの役目についてはは別にすでに腹案がある、といった。首都警察の指揮官にすることであった。

ナポレオンにせよ織田信長にせよ、土くれからかれの手足になる人間を掘りおこして将軍の衣装を着せた。西郷はナポレオンのような権力的野望家とはまるで質のちがう人物であったにせよ、しかしながら土くれから歴史的事業をさせる人間をひねりだすという英雄以外にやりようがない魔法をつかった点ではおなじであった。

その最たる者が、桐野と川路である。

この両人はもとはといえば薩摩の屯田士族である郷士で、両刀を帯して芋をつくっていた身分であったにすぎない。西郷はその土くれをこねあげて城下士の身分にひきあげ、さらには運命という電流を流し入れて歴史的事業のなかに追い入れた。もし西郷が存在しなければ、この両人は無名のままで世を終えたにちがいない。

しばらくこの時期から数年前へ話をもどす。

「御親兵《ごしんぺい》」

というものが、明治四年二月、東京に置かれることになった。ついでながら「太政官」といわれる明治政府は一兵も軍隊というものを持たなかった。ところが「廃藩置県」を断行するにあたって諸方に乱がおこるのを予想し、政府は東京に強力な直属軍を置く必要にせまられた。が、

「他藩は気心が知れない」

ということもあって、維新成立の主力であった薩長土三藩に命じ、それぞれ藩兵を供出させたのである。

長州藩は三個大隊を供出した。

土佐藩はやや遠慮をして二個大隊である。ただしこれに騎兵二個小隊を付けた（騎兵は土佐藩しかもっていなかった）。

維新の主役であった薩摩藩は当然ながらもっとも多くの人数を供出した。すでにのべた城下士より成る四個大隊が、鹿児島から汽船にのって東京へ移駐したのである。

以上三藩の東京駐屯部隊がやがては「近衛兵」と改称され、最後の十族軍として、そして最初の日本陸軍として出発した。幹部はみな将校の軍服を着た。桐野ら大隊長級は陸軍少将になった。まるで安芝居のようなカラクリだが、革命政府の草創期というのはこういうものである。

さて、川路である。川路だけはとりのこされているような格好だったが、船が鹿児島港を出るとき、西郷が、

「正どん、お前《まん》さァも一緒ォ行かんか」

といってくれたので、川路もこの部隊とは無関係ながら一緒の汽船に乗り、戊辰戦争終了後はじめて東京の土を踏んだのである。これが川路の運命を決定した。

船中、西郷はよく談じた。

途中、紀州沖と遠州沖で船がはげしくゆれて嘔吐《おうと》をするものが多かった。

桐野も川路もそろって船には弱く真っ青になって冷汗を流しつづけていたが、この両人のおかしさはそれでも食事が出ると飯椀《めしわん》に汁をかけ流しこむように食ったことである。

食うとすぐ走って上甲板から海にむかって勢いよく吐きだした。食わねばよさそうなものだが、薩摩の人間というのは薩摩風の伊達《だて》を立てるためには命がけになるところが多かった。

「正どん、ポリスの大将にならんな？」

と、西郷は、この船中ではじめていったのである。西郷が「ポリス」というフランス語を知ったのは、かつて弟の従道からきいたのが最初らしい。のちに邏卒と訳され、さらに巡査とよばれるこの治安官の呼称は、銀行が単にバンクといわれていたように、輸入語そのままでよばれていた。

明治初年の一年間は、古今、この国が経てきたいかなる時間よりも変化が激しく、洪水と大火と地震が一時に襲ってきたような観さえある。

さらに回顧をつづけるが、しかし回顧といっても昔ばなしでなく、この時期からほんの二年ばかり前の明治四年のことなのである。ところが、わずか二年で桐野も川路も、まるで夢のように身分が一変した。

それにしても、

「薩摩」

という国のふしぎさはどうであろう。江戸期のいつごろであったか、この薩摩国をたずねようとした旅行家（というにはあまりにも奇怪な情念のもちぬしだったが）高山彦九郎が、この藩の藩境からにべもなく追いかえされ、腹だちまぎれながら彼の一代においてもっともすぐれた歌を吐きすてるような気持で詠《よ》んだ。

薩摩びと　いかにやいかに
刈萱《かるかや》の　関も鎖《とざ》さぬ　御世《みよ》と知らずや

徳川期は日本国自体が国際的に鎖国であったが、国内的には薩摩藩が厳重な鎖国をつづけ「薩摩飛脚《びきやく》」という隠語でよばれる幕府の隠密《おんみつ》さえ見つけ次第に斬った。えたいの知れぬ諸国遍歴家の高山彦九郎などを、関所役人が入国させるはずがなかった。

その薩摩人がひとたび幕府をくつがえすや、洪水のように藩境からほとばしり出て、日本の権力をにぎった。

「平家にあらずんば人にあらず」

というのはこんにちの薩人のことではないかとまで当時蔭口《かげぐち》をたたかれたが、しかし当の薩人たちにすれば革命の当然な分け前という意識もあったであろう。さらにその指導者たちにいわせれば、新国家を創造するのは無私無欲をもって士風の伝統とする薩摩士族以外にない、という気勢《きお》いこみがあった。

たとえば西郷が、

「軍隊と警察は薩摩藩がにぎる」

とあからさまに表明したことはない。ないにせよ、事実上かれはそれをやってのけたのである。

桐野利秋がいきなり陸軍少将になって近衛軍をにぎった。近衛軍が薩摩藩の城下士で構成されたのに対し、川路が掌握した警察は薩摩藩の郷士で構成されたのである。

さきに薩摩藩の城下士により成る常備四個大隊が東京に移駐して近衛軍の主力になったとのべたが、薩摩に残った郷士により成る諸大隊のうち、二千人が川路によって東京へよばれたのである。

「二千人」

というのは、この当時として大規模な兵力であり、薩摩青年の民族移動とさえいえそうである。それらがことごとく警察官になった。

ほかに千人を他藩の士族から選抜した。この三千人が、川路の外遊前の東京における治安兵力であり、さらには後の世にまでいたる日本の警察の原形をなす。

そのすべてが、西郷の設計によるものであった。


日が暮れてから、西郷が帰ってきた。

かれが供につれていたのは江戸うまれの児玉勇次郎という若者だが、ひと足さきにくぐり戸から入って、朋輩《ほうばい》の熊吉に、

——お帰りだよ。

と、耳うちしただけである。

この一事だけでも西郷という人物が、世間一般の人間とはよほど変わった男であることがわかる。

この当時、新政府の大官といえば、ほんの一部のひとをのぞいては人名気どりで、旧大名のしきたりをそのまま踏襲していた者が多かった。

「御前《ごぜん》」

と、使用人に呼ばせ、花柳街などでも、大官に対してはそう称《よ》んだ。新呼称であった。かつては大名や旗本は殿様とよばれていたが、まさか殿様という敬称は時勢にそぐわないため、明治になってからそういう呼称ができた。

が、革命の最高の元老である西郷はひとにそのように呼ばれたこともなく、よばせもしなかった。かれはこの時期、陸軍大将、参議、近衛都督という、文武の最高権力を一身で兼ねていたが、その日常はまったく書生風で、たとえば帰宅のとき正門さえ開けさせないのである。

旧幕の大名・旗本から明治の大官にいたるまで、当主が帰宅するとき、従者がさきに走って玄関から、

「お帰りーっ」

と、叫ぶ。すると門内にいる家来衆がまず大門をぎいっと八ノ字にひらくのである。

当主が入ると玄関の式台から廊下にかけて、家来や女中が居ならんで平伏する。

こういうばかばかしい容儀が、明治の東京でもなおおこなわれていた。

ついでながら明治の大官の多くはそういう面ではじつに醜悪なもので、決して革命政府の官僚といえるようなものではなく、たとえば役所へ通うとき、書生と称する草履取り（格好まで旧幕時代の中間《ちゅうげん》）をつれている者が多かった。明治憲法の起草者のひとりで、のち農商務大臣や司法大臣などをやり日露戦争のときには米国に駐在して蔭の外交工作に従事した金子堅太郎も明治初年には草履取りの経験をした。

かれは福岡藩の出身で、同郷の先輩である平賀義賢《よしかた》という司法省の官員をたよって上京したとき、草履取りをやらされたのである。平賀が司法省に登庁するときには、旧幕の中間のように御用箱をかついでゆき、平賀が退出するときには司法省の玄関で土下座して草履をさしだすのである。

かれが明治三十三年司法大臣になったとき、

「若いころこの省の玄関で土下座をしていたものだ。それを思うと万感胸にせまるようである」

と、当時の屈辱をひとに語ったが、「明治維新は革命ではなく単に権力交代である」という見方は、多分に一面的なものであるにせよ、こういう官員の威張り方からみれば真をうがっているともいえる。

が、西郷はそうではなかった。

裏で足を洗ってから座敷へあがり、「今じゃった」とあいさつしてからそこに川路が

いるのをみると、全身でよろこびをあらわし、

「き（今日）は落着《おてち》っ、ゆっくいと、飯でん食え」

と、いった。川路はそういう西郷に接するとき慄《ふる》えるようなよろこびを感ずる。

川路は、下座にさがった。

「き（今日）はこれにて」

と、いった。かれにすれば西郷が終日猟へ行って疲れているはずだとおもい、辞去するつもりだった。その意味をそぶりで示した。動作と表情だけであった。

こういう場合、薩摩以外の日本の習慣なら多弁なほどに言葉をついやす。たとえば、

「先生は終日野歩きをなさって、さぞお疲れであろうかと存じます。きょうはとりあえず帰朝のあいさつにまかり越しましたゆえ、後日、あらためて参上し、御機嫌をうかがいとう存じます」

とでも言葉多く口上したに相違ない。

ところが薩摩の士族習慣のおかしさは、あいさつ口上でさえ多弁を恥じることであった。万事、言葉を信ぜず、心を信ずるという風があり、

——見ればわかる。言うも聴くも必要なか。

と言い、態度で意思疎通《そつう》がおこなわれた。川路は心から恐縮を表わしつつ、すこしずつ後《あと》じさりした。

西郷はその様子が滑稽《こっけい》にみえたのか、

「海亀《うみがめ》のたまご盗人如《ごた》るなあ」

と、大笑いした。海亀どもは薩摩の海の島々の砂浜に卵を産むためのぼってくる。そのとき若者《にせ》がこっそり四つン這いになって産みたての卵を盗むのだが、海亀に叱られぬよう十一個だけ残しておく。海亀は「十までの勘定ができるが十一はわからない」というのが理由らしいが、いずれにせよ、若者が卵を抱いて砂浜をじりじりさがってゆく格好にこの場の川路が似ているというのである。

結局は熊吉が鶏をつぶし、酒になった。

酒は焼酎《しょうちゅう》である。与助が湯で割って運んできた。

ただし桐野は、

「生を賜《たも》ンせ」

と、生のままのを茶碗《ちゃわん》に注《つ》がせた。

西郷は行儀のいい子供のようにきちんと膝を折って正坐をし、

「そいじゃ」

と、茶碗をあげた。「そいじゃ」というのは広範囲の用途をもったあいさつ言葉である。

桐野は姿勢を正して両手で茶碗を上げ、ひと口飲んでから、川路にむかって声をあげた。

「川路どん、おはんは欧州《イオロツプ》帰りじゃが、酒はやはり鹿児島《かごんま》んショチュ（焼酎）が一番《いっぱん》よかろが」

「ごわすな」

と、川路はこの英雄的壮漢にさからわず、

「そいどん（それでも）、郷には郷の酒ごわして、フランスにもよか酒はごわしたど」

やがて七輪が運ばれ、大きな鉄鍋《てつなべ》がのせられた。

鍋の中にみそ汁がたぎっており、若鶏を骨つきのままぶった切ってほうりこんである。西郷は酒をのまない。最初の杯を置きっぱなしたまま鍋の中に箸《はし》を入れた。

この時期、日本の朝野を問わず征韓論で沸騰しており、西郷はその渦中にいた。というより、西郷がこの渦をまきおこした張本人のように見られており、事実西郷という存在がこの政論の主座にいなければこれほどの騒ぎにはならなかったにちがいない。

といって西郷の心境は複雑で、かれは扇動者というより、逆に桐野ら近衛将校たちが

「朝鮮征すべし」と沸騰しているのに対し、

「噴火山上に昼寝をしているような心境」

と、西郷自身がこの時期の心境を書いているように、自分の昼寝によってかろうじて壮士的軍人の暴走をおさえているつもりであった。

桐野利秋は、暴走派の親玉である。

「二個大隊でよか」

と、若い薩摩系の将校をあつめてはいっていた。俺《おい》に二個大隊貸せ、釜山《ふざん》の岸に船を着け、鶏林八道《けいりんはちどう》（朝鮮の異称）をまっしぐらに突きすすんで朝鮮王を謝《あやま》らせて見する、と豪語していた。

明治初年の政界を大混乱におとしいれたこの征韓論というのは、ごく単純な事情から出た。日本だけが維新をおこし、全面的に開国したのである。

朝鮮は鎖国のままであった。

朝鮮からみれば日本は奇妙な国というほかない。ほんのこのあいだまで尊王攘夷《じょうい》という非現実的スローガンをかかげて革命勢力が幕府を突きあげていたはずであるのに、その革命勢力が明治政府をつくるや掌《たなごころ》をひるがえしたように開国をいそいそとやってのけ、さらには、

——貴国も開国せよ。

と、余計な忠告の国使を朝鮮へ送りつけてきたのである。朝鮮は日本の使者を犬猫同然にあつかい、そのつどはずかしめ、そのつど追いかえした。

歴史に「もし」ということが許されるなら、朝鮮がこのとき開国し欧米形式の富国強兵策をとっていれば日朝の関係は現実の歴史がたどったような悲惨な（朝鮮にとって）不幸が無かったかもしれないというような幻想ももちうる。ついでながら明治初年にお

ける薩摩人の外交方針は、旧幕臣の勝海舟が指南したようであった。勝海舟は旧幕時代から日本と朝鮮と中国の三国同盟の提唱者であり、とくに朝鮮に対してはつよい連帯意識と親近感をもっていたから、明治政府が朝鮮に修交を求めたのは海舟流の善意の行動であったにちがいない。

が、朝鮮はそれを蹴《け》った。そのあと海舟流の三国同盟論のかげが薄くなった。かわって征韓論が登場した。ただしその論者である西郷そのひとは、かれの盟友の海舟の外政論からさほど離れず、

「あくまでも修交である。その国使として自分がゆく。彼地《かのち》で殺されるかもしれないが、その結果によって武を用いればよい」

としていた。

普通の感覚では信じられないことだが、川路のこの席での覚悟のひとつは、

(まかりまちがえば桐野は俺《おい》を斬るかもしれない)

ということであった。斬られるという表立っての理由は、いまのところ無い。無いとはいえ酒席のことである。なりゆきによっては川路自身が、

「俺《おい》は征韓論は好かんど」

と叫んでしまうかもしれず、じつはそれが本音《ほんね》であった。「好かん」という理由などいちいちならべるまでもないほどに川路にとっては愚論で、さらにいえば征韓論が史上

最大の愚論であることはヨーロッパの文明と実体を見てきた者なら誰でも頭からそう思うはずである。明治四年に日本を出発して欧米諸国の国家見学に出かけた公卿《くげ》の岩倉具視《ともみ》、薩摩の大久保利通、長州の木戸孝允ら新政府最高の要人たちやその随行者たちは帰国後ことごとく征韓論の非であることを唱え、それも論評的態度ではなく征韓論がもし政策化されるならば日本国はほろびるという、悲痛な危険感をもった。川路も外遊者のひとりとしてその意見であった。

征韓論に反対する側——たとえば大久保についていうと、かれは西郷にとって兄弟以上に親しい幼な友達であり、さらにはともどもに革命の火焔《かえん》のなかを掻いくぐっただけでなく、幕末の一時期、西郷が島津久光にしりぞけられたとき大久保がこの盟友のために刺し違えて死のうとさえしたほどに両者の関係はかつて濃厚であった。その大久保でさえ——というよりむしろ大久保が率先して——西郷を核心とする征韓論グループを潰《つぶ》すために非常の決意をしているらしいということは、川路にもわかっていた。

むろん大久保はその性格で論評的発言をいっさいしない男だったから、かれの意見は一般に流布《るふ》されていなかったが、大久保の側近または代弁者とみられる連中（特徴とすべきことだが、佐賀の大隈重信や長州の伊藤博文など他藩出身者が多い）は、

「国内整備もできていないのに外征などはできない」

というだけの、いわば凹凸《おうとつ》をこそげとった平板な議論をぼそぼそと述べているだけであった。しかしながら大久保のごときは、

「征韓論こそ亡国論である」

と、肚の底からおもっていたし、かれはこれを潰すためには非業《ひごう》の死は甘んじて受けようという覚悟はもっていた。なぜならば満天下の壮士どもはことごとく征韓論といってよく、この景気よく沸騰しきっている世論のなかで非征韓論などといういわば腰抜け論をとなえることは非常の勇気の要ることであった。川路がこのささやかな酒席においてさえ、

(桐野が斬りつけてくるかもしれない)

という覚悟をもったのは、過剰な意識ではなかった。

川路は不幸にも外遊してしまったために、冷静に世界における日本の実相を見ることができた。

(朝鮮に兵を送ればどうなるか。世界の列強は朝鮮に義俠《ぎきょう》的加担をするという名目を見出してえたりや応と日本を軍事的に潰しにかかるだろう)

たしかに日本そのものが亡びる。

「列強とはそういうものです」

ということを、川路は西郷の前で言いたかった。列強とはいままでそのでんで植民地をふやしてきた。

列強の外交原理は、

「勢力均衡《バランス・オブ・パワー》」というものであることを、川路利良はわずかな期間ながらヨーロッパを歩いてみて膚《はだ》で知った。かれらの外交感覚は体質的に現状維持を好む。現状維持こそ、植民地を持つことによって国富を得ている列強の利益そのものであった。かつてナポレオンがフランスの勢力を伸張しようとして袋だたきになったように、またこんにちの新興ドイツが全ヨーロッパから警戒されているように、ヨーロッパという自国の利益以外にいかなる国家的思考律をもたない国々が、もしアジアに同種類の思考律の国が出現したとなれば、かれらは連合して日本を攻め、日本を分けどりにしてしまうにちがいない。

ヨーロッパの列強が、アジアやアフリカに植民地を獲得してゆくやり方はさまざまではあったが、もっとも安易な方法は、その国の内乱につけ入って一方に加担し、武器と金をあたえ、ときには兵力さえ与えてやがて一方がその後ろ楯によって政権を獲得した場合、後ろ楯が家主のようになり、民族政権が店子《たなこ》のようになって結局は植民地化されてしまうのである。

——たとえ。

と、川路は考える。征韓論が政策化されて日本が桐野のいう「鶏林八道に攻めこんで朝鮮王に頭をさげさせる」場合、外国軍隊（朝鮮の宗主国である清国《シンこく》を含めて）がこれに容喙《ようかい》し、桐野らの日本軍を追っぱらい、それら列強が、たとえ桐野ら薩摩人が自信をもっているように日本が武の国であるとして日本に対しては手をつけないかもしれないにせよ、朝鮮は日本を除外してかれらの分けどりの運命になってしまう。この点については、もしヨーロッパ人ならリンゴの実が樹から落ちるという初歩の物理学同様、子供でもわかっている政治の物理学であった。

第一、征韓策は純戦略論的にも成功不可能であった。

朝鮮はその宗主国の清国に泣きつく。

清国は、その怨恨《えんこん》の部分で関係の濃厚な英国に救援をたのむだろう。

英国は、日本に対しても市場としての価値を見出していたし、維新のときは革命勢力側である薩長に加担したが、しかし英国にとって市場としての価値は清国のほうが比較にならぬほどに大きい。英国はただちに兵を出す。

——ただちに。

である。なぜかといえば英国は上海港に東洋艦隊を常駐させているのである。桐野らが、桐野のいう「二個大隊」で釜山か仁川《じんせん》に上陸したとき、ただちに艦隊をもって朝鮮海峡を封鎖してしまう。日本は増援軍も弾薬も食糧も送れず、桐野らはいたずらにかれのいう鶏林八道で餓死してしまうだけのことであり、これをみて分け前を欲するフランスその他の国がだまっているはずがなく、立ち遅れながらも陸兵を朝鮮に送って桐野らを殲滅《せんめつ》するにちがいない。

川路は右のように整然とそれを考えていたわけではなかったが、全身的な感覚でそのことを予測していた。

川路は、

「閑所《かんじょ》（便所）に。――」

と、ことわって座を立った。

川路は紙障子をあけて暗い廊下へ出、左右をみたが、この長屋には、屋内に便所の設備がないらしい。廊下でうろうろしていると、座敷で西郷がくすくす笑った。川路の背の高い影が、右へ行ったり左へ行ったりするのがみえるのである。

「逃げン場を無くしたネズン（ねずみ）如《ごた》あっど」

といった。西郷にすれば川路のうろたえぶりがおかしく、ただそれだけを無邪気に笑ったつもりだったが、川路にすればこの言葉はひどく暗示的にきこえて、シンに応《こた》えた。

やがて西郷の書生の小牧新次郎が提灯《ちょうちん》をもってきて案内してくれた。いったん土間へ降りて裏庭へ出るのである。裏庭はただの平地で、それを横切ってゆくと枯草を積みあげた小屋がある。厠《かわや》は独立の建物でその小屋の横にあった。

小用を足していると、まぐさの匂《にお》いがした。横の小屋はまぐさ小屋らしかった。

「馬《ンま》は居《お》っどかい？」

と、川路は背後の新次郎にきいた。

「馬は、居《お》いもはん」

と、新次郎が答えた。夜だからあたりがわからないが、この郭内が大名屋敷であった

ころ、この厠のあたりに馬小屋がならんでいたのかもしれず、あるいはいまも遺《のこ》ってい
るのかもしれない。

（そういえば、西郷《せご》さァが馬に乗られっこっが、一度もなか如《ごつ》るナ）

と、川路はおもった。

西郷は乗馬が本来にが手なのか、それとも西郷のような大男が馬に乗ると馬がすぐ潰れてしまうから乗らないのか、いずれにしても陸軍大将・近衛都督という日本の常備軍の総大将でありながら、西郷はいつも徒歩であった。

川路はその光景を知らなかったが、このとしの五月、まだ齢《とし》若い明治帝が、西郷のひきいる近衛の親兵の演習を千葉県の陸軍演習場において閲兵したことがあった。

その演習場は曠茫《こうぼう》とした上古以来の不毛の台地で、土地のひとびとから大和田原とか小金ケ原とかよばれていたが、この演習のとき明治天皇がこの地をあらたに習志野《ならしの》と名づけた。このひとは、天性詞藻《しそう》がゆたかであった。

演習中、ずっと雨であった。帝は馬に乗り、西郷はその背後をずぶぬれになりながら徒歩で従った。このときの西郷の服装は陸軍大将の正装で、腹を白帯でぐるぐる巻きにし、大刀を帯びていた。足はわらじばきである。

演習場での高級指揮官たちはみな馬に乗っていた。桐野少将などはフランス風の軍帽を目深《まぶか》にかぶり、革製の長靴をはき、馬腹にサーベルを吊《つ》るして颯爽《さっそう》と草の上を駈けていたが、西郷はずっと徒歩のまま終始した。

（桐野は、西郷《せご》さァを馬にする気ではないか）

と、厠で用を足しつつ川路はふとおもったのである。

川路は、西郷が好きであった。

西郷にはそういう、ひとをたまらなくする魅力があり、その魅力についての説明も分析も、この人物の場合ほど困難なものはなかった。西郷の魅力は、かれに接する者だけが知りうるという限界があり、伝えきいてそれを知ることができなかった。

西郷は旧幕時代、藩の政治犯罪人として二度も遠島の刑に処せられた。

二度目の流島の地である徳之島に送られたとき、砂浜に立っていた島の老婆が目をつりあげて、

「お前《まん》さァは、いけな（いかなる）ナマリモン（怠《なま》り者）じゃろかい。遠島は一度《いっど》でよか。二度も三度も為《す》いこっちゃなか」

と悪罵《あくば》をあびせると、西郷は哀れなほど身を小さくしてうなだれた。この光景は島送りの役人がもどってから城下にひろめたため、川路の耳にも入った。

それ以前に川路は城下の街路でこの巨眼巨大漢とすれちがったことがあり、その様子からみて、

「わざえ人じゃらい（恐ろしい人だ）」

と家の者にも話していただけに、この徳之島での話をきいて名状すべからざる不思議

さを感じた。

川路が西郷とじかに接するようになったのは元治元年の蛤御門ノ変以来だったから、当時西郷のそばにいた西郷の弟の慎吾（従道）や従弟《いとこ》の大山弥助（巌《いわお》）、流罪を共にした村田新八、ずっと西郷の用心棒のようになってその身辺から離れない中村半次郎（桐野利秋）などからくらべれば、ずっと新参者であった。

新参とはいえ、西郷というこの巨大な光芒を全身に浴びてしまったという点ではその連中と変わりはなかった。

ただ思うのは、

――よか者《もん》は遠くへ去《い》てしもた。

ということである。西郷従道や大山巌など、西郷の京都時代、西郷のもとにあって情報をあつめては情勢を分析していた若者たちはいまは西郷のそばにおらず、新政府の官吏として多忙か、それとも留学や視察などで海外へ出かけてしまっている。

西郷の手もとに残ったのは、桐野利秋であった。

（彼は、ただの大胆者《ぼっけもん》にすぎん）

と、川路は桐野を低く評価している。

もっとも川路は桐野のいかにも薩摩人らしい爽快《そうかい》さも並みはずれた勇敢さもよく理解していた。さらには無教養なわりに異常なほどにかんがいいという点も、よくわかっていた。

「俺《おい》に学問さえあれば天下を取っちょる」

と桐野がいったことがあるが、世間に対する気後《きおく》れというもののまったくない天真爛《らん》漫《まん》なところも桐野の美質であった。しかしひるがえっていえば桐野は上古の隼人の首領をつとめるのに打ってつけであるにせよ、いまからアジアの一角に近代国家をつくりあげようというこの日本のなかで、一大政綱をかかげ、国際政治を論じ、たとえば西郷党という一大政治勢力の執行者になろうとしているなどは滑稽というほかない。

(殆《あやう》いものだ)

と、川路は新次郎の提灯に導かれて庭を横切りつつ思った。

この荒屋敷のぬしの西郷についてであった。西郷が、桐野程度の壮士を番頭にしているようではゆくすえあやうい、とおもった。

(西郷《せご》さァの征韓論は、桐野の入れ智恵か)

と、ふとおもったりしたが、まさか西郷ほどに聡明な人物が壮士輩に踊らされているとは思えず、やはり西郷としてはかれにとって先君であるとともに唯一の恩師でもあった島津斉彬《なりあきら》のアジア大防衛構想というものの影響のあらわれの一つともいえるかもしれなかった。あるいは革命政府の腐敗なり腰抜けぶりなりに対する忿懣《ふんまん》の強烈な反射的表現が征韓論であるかもしれない。

さらに思えば、西郷の征韓論は斉彬の盟友であった勝海舟の外交論と無縁ではないかもしれない。すでにのべたように海舟は朝鮮との同盟論者であった。その朝鮮が日本の提案を蹴り、日本の維新と開化を軽侮している以上、

「朝鮮の政府を伐《う》って朝鮮人民の目を醒《さ》まさせ、この人民に維新政府をつくらせてそれと同盟するよりほかかない」

と、西郷は思っているのかもしれず、もしそうなら革命の輸出であった。しかしいずれにせよ、西郷自身がその論の中身をくわしく語ろうとはしないのである。

世上流布されている西郷の征韓論というのは、要するに番頭の桐野が代弁者としてしゃべっている内容のものが多い。多分に壮士的であった。一国の政略論というには、一度世界というものを見てしまった川路のような者の目にはいかにも子供じみたものであった。

征韓論は、政争化しつつあった。

長州勢力は、非征韓論である。

一方、佐賀の江藤司法卿などは薩長の仲を割《さ》くために征韓論派にまわっている。元来が機略家だけに、それが本音というより、征韓策というこの国家的冒険を国内の政争の武器として使おうとしているようにおもえる。土佐の板垣退助も征韓論派だが、多分に気分的で取るに足りない。

西郷のみがこの論をもって不退転の主張とし、たれがみても身を滅ぼすまでの覚悟をきめているようであった。

ないのである。

幕末、西郷はひとの意見をよく聴いた。しかしいまは桐野が異見をもつ者を寄せつけ

たとえば政府の要人などが、西郷のもとにやってきて世界の趨勢《すうせい》を説き、欧米の国力や社会の実情を説いていまの日本が征韓策をとることがいかに愚であるかということを説こうとするが、対坐している西郷の背後に桐野がいてつねに剣をもじって（手でひねくって）目を光らせているため語るべきことも語れず、結局不得要領で去るということも、川路は帰国後にきいた。

川路は、席にもどった。

西郷は犬を偏愛した。

幕末、かれは京都にいるとき「寅《とら》」という名の蘭犬《らんけん》を愛し、外出するときは「寅」を曳《ひ》きながら歩いた。他藩の同志と酒楼で会するときも「寅」を座敷にあげてつねに自分のそばにすわらせ、犬の背を撫《な》でながらひとと話した。

この奇癖は、刺客がとびこんできた場合の用心という効用もあったかもしれない。が、当時祇園《ぎおん》あたりでは西郷のこの犬好きをむしろ粋《いき》だと見ていたようで、名妓《めいぎ》君竜の話というのが遺っている。

「木戸さんや山県さん、伊藤さんなどお歴々衆がよくいらっしゃって歓をつくされました。ところが西郷さんだけは犬さんといつも御一緒で、かならず鰻飯《うなぎめし》をご注文になりま

す。犬にもやり、ご自分も召しあがるとすぐ帰ってゆかれました。まことに粋のなかの粋を知った方だとおもいました」

川路のこのときも、猟犬が二頭座敷のすみにいた。

ドンブリ飯が来ると、西郷は自分で卵を割って卵飯をつくり、犬に食わせた。

ついでながら西郷はのち上野公園で銅像になった。犬を曳いている姿だが、この犬は薩摩犬である。西郷は薩摩の藤川牧野《ふじかわまきの》に住む前田善兵衛という犬好きからもらった、名前を「ツン」という犬を飼ったことがあった。あの銅像の犬はツンにちがいないという言い伝えが藤川牧野にのこっていたが、実際はこの銅像がつくられるとき、薩摩出身の海軍の要人で仁《に》礼《れ》景範《かげのり》が飼っていた薩摩犬がモデルとしてつかわれただけで、ツンではない。しかし銅像の犬はツンに酷似しているという。

この座敷にいる二頭の犬は、寅でもツンでもなく、千葉あたりの猟師からゆずりうけたもので、とくに雉猟《きじりょう》によく馴《な》れていた。ただ西郷はウサギやシシ猟を好み、鳥打ちはあまり好まなかった。

「犬は鹿児島《かごんま》の犬がいちばんよか」

と、西郷はめしを食わせながらいった。

川路はふと、

(桐野も、犬かな)

とおもったりした。

桐野のかんのよさには川路はしばしば驚かされてきたが、しかしつねに首領を必要とする男だという点で、犬に似ていなくもない。

薩摩犬の性質は温順であり、あまり神経質でなく、いつも眠ったような顔をしている。しかし猟につれてゆくと、獲物の首の根をおさえきるまで帰って来ない。

桐野は幕末、西郷と生死を共にしてきた。西郷によって陸軍少将になったが、なおも西郷の膝下《しっか》にあってその護衛者であることをやめていない。

桐野は、晩年、こう語っている。

「俺《おい》はなにから何まで南洲翁（西郷）に同意するというわけではなく、そういうことはできぬ。しかし、かといって翁と別れることもできぬのは、俺という男は死ぬべき場所に死ぬことができぬ奴《やっ》だからである。俺を死ぬべき場所で死なせてくれる人は南洲翁しかなく、そのため翁とは一生離れることはできぬ」

死所を得るということの異常なことを人生の日常の目的にしているという点では、桐野は戦国期の薩摩人そのものであるといっていい。

夜が更《ふ》けた。

「泊まっ行《い》かんか」

と、西郷が優しくいった。ゆらい西郷という人物はそうであった。うまれつき感情の量が豊富で、それが愛情となってその座をすみずみまで満たすとき、かれに接する者は西郷がただそこにいるというだけで名状しがたい陶酔をおぼえるようであった。西郷が、むかし洪水《おおみず》が出たとき、浮かんでゆく下駄にまで「こんぅ風《かぜ》ぜぇ、何処《どこ》ずいおじゃすか」と話しかけたような男であることはすで触れた。

薩摩人は、ほとんどこれは風土性とまでいえるが、心情的価値観として冷酷を憎むことがはなはだしく、すべてに心優しくなければならないということを男子の性根の重要な価値としていた。このことは対人関係においてついひとの優しさに釣りこまれてゆくということにもなるが、川路にもそういうところがあり、たとえばかれの短い生涯を特徴づけていることの一つは、部下を一度も叱ったことがないということであった。

さらに、そういう優しさということと無関係なことではないが、薩摩の習俗として、

「泊まっ行かんか」

と、先輩が優しくしてくれた場合、後進は多少の事情があってもその優しさを受けねばならないということがあり、この場では川路は当然泊まるべきであった。

ところが、川路は、

「巡邏《じんら》ン仕事《しごつ》がごわンで」

と、ことわってしまったのである。薩摩の対人的な習俗としては異常なことであった。相手の優しさを拒絶したというにひとしい。

むろん川路はうそを言っているわけではなかった。

かれは自分がいまつくりつつある警視庁創設にほとんど気を奪われてしまっていた。

信じられぬほどのことだが、かれはその死にいたるまで、毎夜、ほうぼうの警官の屯所（警察署その他）を巡察してまわるという習慣を、出張中以外はついに一日も欠かさなかったのである。

西郷は、武士というより篤農といったふうな感じの川路の性格を、かねがね可愛らしさと可笑味《おかしみ》を感じて理解していたから、

「ほな、またおじゃんせ」

と、笑顔になってくれたが、かたわらの桐野利秋の感情はそうはいかなかった。

（なんたる無礼者か）

と、くび筋が赤くなるほどに思ったし、第一、桐野が理解した西郷の「泊まって行けや」という言葉の内容は、目下西郷が身を焦がすようにして廟堂《びょうどう》の参議たちに説きつづけている征韓論について川路によく話し、川路を味方に（当然なことだが）ひき入れようとしていると解釈していた。

が、川路はそれを拒絶した。

桐野が理解した川路の拒絶の解釈は重大であった。ひそかに川路が反征韓論派の頭目である大久保に通じているのではないかと見たのである。

桐野は、

「そこまで送ってあげ申《も》そ」

といって、土間へ降りた。戸口のところで新次郎が待っていた。新次郎が提灯で川路の足もとを照らして先導しようとすると、桐野は、

「よか。俺《おい》ひとりでよか」

といって、提灯をとりあげた。

桐野のこういう場合、きわめて危険であった。幕末、桐野はこの手でよく人を殺《や》った。土佐藩出身の後藤象二郎にも、この種の桐野体験があった。幕末、後藤は土佐藩の政務代表として、同藩の坂本竜馬の構想による大政奉還のしごとに奔走した。薩摩の西郷はこれには反対であった。西郷はひそかに即時武力クーデター計画をすすめていたため、突如土佐藩から提案された大政奉還案に大いに迷惑し、この魔術的収拾策は革命よりもむしろ徳川家の延命に役立つだけだと見ていた。しかしながら土佐の後藤がやってきて西郷に同意を求めたとき、西郷は内心はともかく、表面は一諾して土佐藩に花をもたせた。この時期の西郷の政治能力は古今に比類がないとさえいえるほどのものであった。

このとき、後藤が京都の薩摩屋敷において西郷と会談を終えたあと、門のクグリをくぐって外の闇の中に出ようとしたとき、門脇《もんわき》に体を寄せて大刀を振りあげている壮漢を見た。後藤はとっさに島津家の定紋の入った提灯をその壮漢の顔につきつけ「ご苦労」といって去った。この壮漢が、当時の中村半次郎いまの陸軍少将桐野利秋である。あのとき、後藤の記憶では、辞去するにあたって西郷がやかましく定紋入りの提灯をもってゆけ、とすすめた。それが後藤象二郎を、桐野の示現流で斬りたおされることから救った。

桐野は、そういう男であった。

あのころ西郷が土佐藩の大政奉還を迷惑がっていた。西郷がそういう考えである以上、桐野にとって後藤は天下の奸物《かんぶつ》であり、斬るべきであった。桐野の頭の回転と行動はほぼそういうぐあいになっていた。ところが後藤がクグリから出たとたん、島津家の定紋入りの提灯をみた。桐野の行動は停止した。

(西郷《せご》さァが、ご承諾なさったのだな)

と、桐野はとっさにおもって白刃をおさめたのである。

(桐野は俺を斬るだろう)

と、川路がこの場合、覚悟をきめたのも、川路は土佐の後藤以上に桐野という男をよく知っているからであった。

送って行って、路上で川路を斬る。

(桐野はそのつもりだ)

と思いを確かめたとき、川路は体腔《たいこう》のなかの血液が一時に化学変化をおこしたほどの衝撃を感じた。

(この男とは行を倶《とも》にすまい)

というかれの決断はこのときできたといっていい。桐野と今後行をともにせぬ以上、あるいは西郷と反対の道をゆくことになるかもしれず、それによって郷党からおそらく不義忘恩の徒として罵《のの》しられるかもしれないが、しかしやむをえないと思った。

風が出ている。

桐野がぶらさげている提灯の灯が心細げにゆれたが、桐野は灯をかばおうともしなかった。元来、提灯の灯など、ちまちまとかばうたちの男ではなかったが、川路は用心を怠らなかった。

（灯が消えたとたんに抜打ちするつもりではないか）

ということであった。二人は思案橋を渡って、魚河岸の方向をめざした。町家はもう寝しずまっている。左手は日本橋川であった。

川路は丸腰の和服である。桐野は軍服に帯刀していた。首都警察の最高官と、近衛の陸軍少将が、たがいに供も連れず、東京と改称された旧江戸の町を田舎出の壮士のようにして歩いているのである。

（日本は野蛮だな）

と、ふと川路がパリの街《まち》の夜をおもいだしたのは、パリにあってはまさか警察の最高官が陸軍の将官から抜打ちされることを警戒しつつ連れだって歩いているようなことはあるまい、と思っておかしかったのである。

川路は、桐野の左側に身を寄せつつ歩いた。かれはもともと桐野に対して剣の自信はあった。しかしいまは寸鉄も帯びていない以上、斬られるしかない。死は勘定に入れている。死の前に手を飛ばして桐野の両眼を指でくりぬいてやろうと思っていた。かといってべつに桐野をとくに激しく憎悪しているわけではなく、ただ川路ともあろう者が為《な》すことなく路上で斬られていたという死後の汚名がいやなだけである。

川路のそういう魂魄《こんぱく》の緊張のようなものが桐野の感覚にひびいているらしく、

「たがいに」

と、桐野はわざと剽軽《ひょうきん》めかしくいった。いままでよく生きてきたものだな、という生死についての冗談をつい話題にした。川路にはそれが笑止だった。

「なにか言いたいのか」

ということを、江戸風の言葉でいった。

このあと桐野も江戸風の言葉を使ったのは、理屈めかしいことを言うには国言葉では不自由なのである。

桐野は、征韓論がいかに正義論であるかを語り、さらには天下の不平武士たちが、汚《お》濁《じょく》にまみれたいまの東京政府をいかに激しく呪《のろ》っているかを説き、政府に対してもはや蜂起《ほうき》寸前の情勢にある、といった。それを征韓によって一挙に解決しようというのが桐野の意見であり、桐野は説きおわると、

「いけんや？」

と、にわかに薩摩言葉にもどった。イカガナリヤということのつづめた言葉である。

川路は応じた。

が、黒白はいわなかった。いえば返答次第で桐野は抱きついてよろこぶか、軍刀を一《いっ》

閃《せん》させて川路を斬るかどちらかだろう。

「むつかし事《こつ》ごわすな」

と、まず呼吸をはずした。

「俺《おい》はポリスじゃってやナ、せからし（複雑な）ことは言わらんど（言う能力がない）」

と川路がいうと、桐野は立ちどまった。川路がそのまま進み、桐野が残った。やがて背後で桐野の哄笑が爆発した。

情念

すこし余談をしてみたい。

征韓論とはなにかということについてである。

征韓論という、この明治初年の日本をゆるがした外交的課題と、それが内政的課題に転化されて大火焔をあげるにいたるということの問題を黙殺しては、この物語に登場する人間群がその舞台をうしなう。

しかしその舞台装置を逐一こまごまと説明することがこの物語にとってどれほど重要かということになると、正直なところ筆者自身にとっても疑問である。極端にいえば筆者自身、古新聞の政治欄を読まされるような思いもする。

が、さらにひるがえっていえば、以下のようなことは可能であろう。征韓論という、この当時の血の気の多い日本の有志層を沸き立たせた問題を通じて、いまもむかしも変わらない普遍の課題がひき出せはしないかということである。

日本人は、孤絶した地理的環境に生きている。

ヨーロッパ大陸の諸国は、印欧語族という一つ言語をもち、国家といってもその方言、ごとに国をたてているだけで、それぞれの文化や社会体制も各国ごとに多少の地方的差異があるにせよ、ほぼ均一性をもっている。かれらは庶民にいたるまで自国と他国と比較することが簡単で、げんに日常的にそのことがおこなわれてきている。ヨーロッパにおける外交はあくまでもそういう人文地理的現実の上に成立しているものであり、技術にすぎない。

繰りかえすようだが、外交は一国の利害で割りきられた政治技術の範囲を出ることがないのである。

が、孤絶した環境にある日本においては、外交は利害計算の技術よりも、多分に呪術《じゅじゅつ》性もしくは魔術性をもったものであった。

たとえば、

「攘夷」

という。幕末における夷とは日本と異質な文明をもつ民族や国家、つまり欧米のことで、中国や朝鮮はその概念にふくまれない。幕末、欧米諸国が通商をもとめてきたとき、日本史上空前の人民レベルにいたるまでの沸騰がみられた。薩長など外様《とざま》の雄藩をふくめた在野世論は、夷ヲ攘《はら》フということで一大昂揚を発し、たかが国家の利害計算の範囲内にすぎない外交問題が、革命のエネルギーに最初から変質してしまっていた。夷を攘うということが同時に王を尊ぶという国内統一の課題と矛盾なしに一致し、これによって幕府が倒れ、明治維新が成立したのである。外交がつねにただの外交におわることなく、かならず悪霊のような魔術性をもち、国内問題にむかって強烈な呪術力を発揮するという点で、日本はきわめて特異であり、世界の政治地理的分野のなかで特別な国であるとして見なければ、征韓論というものはわからない。

後世のわれわれにとって征韓論のむずかしさは、そのあたりにあるであろう。

日本の外政問題は、どれほどの騒動になっても、それがいったん過ぎ去ってしまうと、あたかも症状の去った神経発作——極端な比喩《ひゆ》だが——のように発病中の自分の心理なり症状なりがどういうものであったかよくわからないところがある。どの国においても外交史は編纂《へんさん》しうる。しかし日本の場合、羅列《られつ》的な外交史は編むことができても、そこから持続的公理性を導きだすような外交史が成立しうるかどうか疑問なようである。

たとえば昭和のはじめ陸軍軍部が統帥権《とうすいけん》を魔法の杖として、国家の大権である外交を壟断《ろうだん》した。満州事変以降のアジア侵略政策は結局は太平洋戦争で潰滅《かいめつ》するが、その間の外政は帝国主義という呼称さえあてはまらないほどに幼稚なものであった。本来、帝国主義といえるほどのものなら自国の実力と国際間の錯綜《さくそう》した諸種の利害関係を計算しぬいた上でおこなわれるはずのものであろうが、そういう計算もなかった。

「朝鮮と満州は日本の生命線」

という、呪術的なことばを連呼することによって軍部は日本国内の思想統一をくわだてた。もっとも昭和期の軍部にはもはや思想といえるほどのものはなかったために、かれらは陸軍幼年学校と陸軍士官学校がおこなっていた教育内容——つまり天皇への絶対的忠誠心と日本および日本人の絶対的優越性——を全国民にひろめ、かつかれら将校階級は全国民を兵士階級にすることによって国民統一を遂げようという方向を発見し、その実現に熱中した。外交問題が国内問題にむかって魔術化してゆくという一例であるといえる。昭和十年代の末期には、その軍部の国内統一はほぼ成功した。しかし国家そのものは四十余カ国という、ほとんど全地球の人類を敵としてしまい、潰滅してしまった。

さらに例をあげると、太平洋戦争のあと、「戦後」という外交上の時期がつづいた。その時期は昭和二十六年の講和条約調印によって終結するが、この講和は当時の国際情勢をじかに反映してきわめて微妙で、ソ連とその圏内にある社会主義国は調印の相手のなかに入っていなかった。その是非はともかく、たかが——過ぎ去ってみれば——その程度の外交問題が重大な国内問題に転化し、国内は革命寸前をおもわせるほどに騒然とし、しかもそれがすぎ去ってしまえばあとかたもない。

というようなことを考えると、日本における外交問題は、他の国におけるそれとはよほどちがった概念と性質をもっているといえるかもしれない。外交が技術であるよりも国民的情念の表現、もしくはその情念によるヒステリー発作というにちかい性質をもっているのではないかとさえ思える。

そういう民族的情念の維新後最初の戦慄が、征韓論であった。その戦慄が過ぎ去ってしまえばなにごともなかったにひとしいにせよ、その最中は明治政府をほとんど崩壊寸前に追いこんだ。

桐野利秋は壮士的気分における征韓派の巨魁《きょかい》とされていた。

といって桐野が朝鮮の政情や人文一般についてどれほど多くのことを知っていたかということになると、ほとんど知らないといってよかった。むしろ知らないということが、桐野だけでなく、日本歴史のなかで間歇《かんけつ》的に噴出する外征エネルギーのエネルギー源になっていた。

たとえば、朝鮮で、

「壬辰倭乱《じんしんわらん》」

という呼称でよばれる豊臣秀吉の朝鮮討入りにしてもそうであった。秀吉は朝鮮を厳密な定義での外国であるとおもっていたかどうか疑問であった。九州の北方にある準九州的な地帯という程度の認識だったために、九州征伐で島津氏を威服せしめたと同様、朝鮮もまた日本国の統一者であるかれの威光のもとに威服すべきものだと無邪気におもっていた。

この時期の秀吉は、かつて物事に用心ぶかかったかれとは別人のようで、すでに精神病理学の対象ともいうべき自己肥大の妄想傾向が濃厚であった。かれは大明国《ミンこく》を征服するつもりで、朝鮮をして道案内せしめようとしたのである。

が、現実の朝鮮国は秀吉の朝鮮イメージとはちがい、まったくの外国であった。しかも中国を宗主国として中華文明圏にあり、これがために文明という基準において日本を伝統的に軽侮していた。乱入した秀吉軍は、朝鮮をして道案内させるどころか、朝鮮の宗主国である大明国の大軍と戦わざるをえなかった。この結果、朝鮮の山河は荒廃し、秀吉政権は諸大名から飽かれて継続せず、大明国もこの戦費のために疲弊してその倒壊の主たる原因になって、三国ともなんの益もなかった。

「倭奴《ウェノム》」

という呪い言葉をもって朝鮮人が日本人をみるようになったのはこの「壬辰倭乱」以後であったが、しかし加害者である日本側はその後朝鮮国とその民族を知ろうとする努力を怠った。

このため、明治初年になってふたたび朝鮮問題がもちあがったとき、桐野など多くの壮士的征韓論者は、秀吉の無知の段階からすこしも出ていなかった。

事の発端は、すでにふれたように、日本が明治維新をやって富国強兵をめざした欧化政策をとったところにある。朝鮮へも、

——貴国もそうせよ。

という使いを出した。日本側としてはあくまでも鄭重《ていちょう》な折衝法をとった。しかもいささかの野心もなく、友好と親切から出た働きかけであった。しかし朝鮮にとっては余計なお節介であった。朝鮮国の支配者にすれば、開国すれば国内体制がくずれるのである。どの国の支配階級が、自分の支配体制の崩壊を賭けてまでして他国の変な親切をうけいれるであろう。

折衝は明治初年から足かけ六年つづいた。朝鮮側は毎度峻拒《しゅんきょ》し、毎度罵倒《ばとう》した。結局は日本の壮士気分を激発させる結果をみた。

一方、以下のような情景がある。

西郷がこの当時の薩摩出身の近衛の士卒の状況を、

「噴火山」

と形容し、自分はあたかもその噴火山上で昼寝をしているようなものだ、といったが、この形容はすこしの誇張もなさそうで、西郷が自分の悲鳴をそのように表現したともいえる。

戊辰戦争は、薩摩兵児《へこ》の血をすっかり野性にもどしてしまった。この革命戦がわずか一カ年で片づいたことも、よくなかった。

薩摩の相棒である長州の場合は、元治元年の蛤御門ノ変以来、四カ国艦隊との攘夷戦争、藩内のクーデター戦争、幕長戦争と相次ぎ、明治二年五月戊辰戦争が終了するまで五カ年も戦争をつづけ、しかもその戦争の形態は、対政府戦、藩内革命戦、対外戦といったようにあらゆる種類を体験した。

　戦争が政治的正義の激烈な表現であるとすれば、長州人はその主題を十分に表現しえたし、また戦争がある集団のエネルギーの噴出形態であるとすれば、長州人は十分に噴出し、疲労し、戊辰戦争が終了したときにはオコリが落ちたように集団じたいが、ほっとして吐息をつく思いがあった。

　その点が、薩摩とちがっている。

　さらに長州は薩摩より早く進んでしまっていたことも両者の致命的な相違になりうる。長州が幕末の対幕戦の過程において藩内の封建秩序を大きく変動させてしまっていたことである。奇兵隊ほか庶民軍が出現し、それが藩の運命をにぎるという未曾有《みぞう》の事態が出現した。士族階級のほうがむしろ元気がなく、保守側にまわり、庶民軍に圧倒された。要するに士農工商という階級制の絶対性がくずれ、明治社会の原形ともいうべき「国民」のごときものが、長州では幕末に出現していたのである。

　このため明治の新社会の出現は、長州人を狼狽《ろうばい》せしめなかった。「国民」は、官僚という国家の運営技術者を必要とする。長州の場合、官僚はすでに準備されていた。幕末の藩内の動乱を通じてできあがった革命官僚団が、そのまま明治政府の官僚団に移行したのである。

極端な言い方をすれば長州人にとって、明治の大官、小官は、かれらみずからが選んだという気分があり、この人選による不平というものはあまりなかった。要するに長州人は戦争にくたびれており、革命政府と新秩序の出現を妥当なものとして安堵《あんど》していた風があった。

しかし、薩摩の場合はちがっている。

薩摩は、日本中のどの藩よりも中世的な制度と気分を残し、さらには戦国武者のエネルギーをひたすらに貯《たくわ》えていた集団であった。それが、西郷と大久保という、当時の日本の人材水準をはるかに越えた両人の英雄的活動によって革命主力となり、そのあざやかな手腕によって戦いに倦《う》まぬまま革命を樹立させたのである。精気だけが残った。

さて、情景紹介である。

有馬純雄《すみお》という薩摩人がいる。

「藤太《つだ》どん」

と、西郷からいわれて愛されていた人物で、戊辰戦争では軍隊幹部として出征し、勇猛である半面、敵に対しては際限もないほどに寛大であったという点で、伝統的な薩摩気質《かたぎ》をもっていたといえる。

が、元来頑質《がんしつ》で、つねに一種の正論をかかげて、いったん言いだせば、それを貫徹しようとし、遮《さえぎ》る仲間を罵倒する風があったので、維新後、西郷が、

「藤太どんには、司法省がよか」
といって、そのほうへまわした。司法省は正義好きの有馬純雄の性格によく適《あ》ってい
たが、なにやら適いすぎる気味もあり、生来の議論好きがいよいよ昂じて同国人からき
らわれた。薩摩人は幼少のころから「議ヲ言フナ」という教育をうける。理屈をこねた
がる人間はその性癖そのものをもって不道徳とされるという他郷にはないモラルの基準
があって、有馬は結局は東京の薩摩人社会からはじき出され、晩年の一時期、大阪府下
の小さな禅寺で住職をしていたこともあった。
有馬は、この物語のこの時期、司法省の少判事で民事を担当していた。
「月俸は百五十円であった」
と、有馬は晩年回顧している。明治初年の収入としては大きく、おそらく下町の長屋
住まいの大工の二年分の収入以上だったろう。
その当時、有馬とおなじく戊辰戦争の戦火をくぐった薩摩人で軍隊に残った者は、陸
軍大尉でもやっと七十円程度だった。
有馬の回顧談によると、陸軍の薩摩人が、
「有馬の奴《やつ》は、モヘ（もはや）百五十円取りで、官宅住まいをしておって、そのうえ乗
馬を二、三頭も持っちょる。ヒデ奴じゃ」
と、こぼしていたらしい。
ちょうど「御親兵」という近衛軍が薩長土三藩から選抜されて編成され、桐野らが陸

軍少将になり、東京に駐屯した当座のことであった。

西郷は、この連中の金銭問題にこまかい心づかいをしていた。かれ自身はささいなことでも人に使い走りなどさせる場合、かならず銭をやって人をタダ使いしないという個人的習慣をもっていたが、かといって若い者が先輩から金をせびるという気分をもつことを許さなかった。が、一般にその悪習があった。とくに薄給の将校や下士官にまだ壮士気分が残っていて、遊興したいときは同郷の文官の家に行って金をせびる。

「兵隊には兵隊の手当がある」

と、西郷は近衛軍が創設されるとき、薩摩出身の文武の官吏をあつめて念を押した。兵隊に金をやるな、やると士気を衰えしめる、と念達したのである。

ところがその兵隊三人が有馬のもとにやってきて、

「土佐の兵隊と一緒に飛鳥山《あすかやま》に花見にゆく約束をし申《も》したどん、少しお貸しやっ賜《たも》らんか」

と、無心した。有馬が「金をやれば風紀がみだるる」といってこれをことわったため、大騒ぎがもちあがった。

以下は、当時、東京における薩摩出身の軍人や官吏という集団のあいだで、いかに梁《りょう》山泊《ざんぱく》的気分が横溢《おういつ》していたかということの一例である。

——鹿児島《かごんま》からオヤマどんが上京してきた。

ということで、ひさしぶりで郷党の者があつまり、酒宴がひらかれた。オヤマどんというのは戊辰戦争で卓抜した政戦の才を発揮した大山綱良《つなよし》のことで、かれはいまは鹿児島県令になっている。

有馬は覚悟した。その酒宴に列するはずの近衛の将校や下士官たちが有馬を待ちかまえ、袋だたきにして腕の一本や二本へし折るつもりでいるに相違ない。有馬は薩摩の飛《と》太刀《だち》流の名人で、幕末の京で何度も剣戟《けんげき》のなかを掻いくぐったが一度も負けをとらなかった。しかし同郷人と相闘して殺傷されるのもつまらぬと思い、酒楼の中村楼まで馬で行った。馬丁に言いふくめて、

「階上で騒ぎがおこればすぐ馬を軒下へ曳《ひ》き寄せよ。俺《おい》は二階から馬の上へとびおりる。あとは雲を霞と逃げるつもりだから、ぬかるな」

と退路を作っておいた。この時期の薩摩人の酒宴というのは生き死にの覚悟を必要とした。

有馬は、遅参をした。二階へあがると、すでに酒は酣《たけなわ》で、大広間のあちこちで兵隊たちがかたまり、箸戦《ナンコ》を打って酒をあおっていた。箸戦とは土佐でいう箸拳《はしけん》で、箸を道具に拳を打ち、負けた者が酒を飲む。

入ってきた有馬の顔をみて、兵隊たちはいっせいに色めき立った。兵隊には将校・下士官・兵という階級差があるが、建軍早々のこの時期の連中は元来がおなじ薩摩武士であるため、有馬にいわせれば「大した相違があるわけでなく」いわば車座になった壮士

団といってよかった。

さいわい西郷が正面にいた。西郷は一座の空気を敏感に察し、有馬を自分のそばにひきつけておいてやろうと考え、

「おお、遅かったが。此方来《こっちけ》、此方来《こっちけ》」

と、さしまねいた。

ところが兵隊たちが有馬を西郷のそばへやらせず、箸戦にひきずりこみ、やがて杯盤狼藉《ろうぜき》のさわぎになった。

あやうく抜刀さわぎになるところを、野津道貫《みちつら》（日露戦争の第四軍司令官）が有馬をかばって逃がした。計略どおり二階から馬にとび乗り、両国橋の橋ぎわの「亀清《かめせい》」まで走ってその座敷へ入りこんだ。

ほどなく、他の文官連中も「亀清」へ逃げてきた。逃げてきた連中は、厚之丞とよばれていたのちの文学博士重野安繹《しげのやすつぐ》、のちの元老院議官中井弘らで、

「汝等《わいど》が来《く》っ場所じゃなか」

と、兵隊たちに剣突《けんつく》をくらわされて酒楼から追い出されたというし、主賓の大山綱良にいたってはみずから兵隊をしずめるため拳固でなぐりまわり、そのためあごが外《はず》れた兵隊もあった。相五左衛門という兵隊は淵辺群平という西郷から愛された男に突っかかって行き淵辺をなぐろうとしてその唇にさわった。このとき淵辺は口を猛然とひらき、その兵隊の親指を噛《か》み切って杯洗へ吐きすてた。

この両国の中村楼さわぎは、かつての江戸期をふくめ、東京の酒楼で発生した騒動としては前代未聞のことであった。膳部《ぜんぶ》という膳部はみな踏みつぶされた。障子は飛び、襖《ふすま》は形もなく、

「無事だったのは、芸妓がもって逃げた三味線一棹《ひとさお》だけ」

という評判が立ち、被害額千円といわれた。千円というのは相当な邸宅の建築費とされていたから、中村楼の破損と騒ぎの大きさの見当がつく。

「西郷先生の大徳望をもってしても、兵隊どもの酒狂をおさえることができなかった」

と、有馬純雄が回顧している。のち、西南戦争までいたらざるをえなかった薩摩人という革命集団の鬱勃《うつぼつ》たるエネルギーが、この一事のなかにも火照《ほて》っているとみていい。しかも喧嘩《けんか》の被害者である有馬純雄が、この酒狂を呪うどころか、その回顧談で、

「男はああなけりゃならん」

と、当時の薩摩兵児《へこ》の元気のよさを賛美しているのである。有馬によれば、薩摩人のああいう元気がなければとても幕府などは倒せなかった、ただ幕府が短時間で倒れたために東京に駐屯する薩摩軍人がふりあげたコブシのやりばもなくて鬱屈していたのだ、というのである。

この騒ぎの間、西郷は連中にとりかこまれて箸戦《ナンコ》をしていた。西郷は箸戦に弱かった。そのため勝負のたびに酒をのまされた。西郷は酒にも弱かったためいちはやく酔いつぶ

れて前後不覚になり、人力車にのせられてその寓居まで送りとどけられた。西郷にとっても、この場合、酔いつぶれる以外手がなかったに相違ない。

かれは、こういう連中の血気を愛した。げんにこの連中の血気を駆って日本中を席捲《せっけん》して革命戦を勝ちぬいたのである。そういう西郷が、いまさら分別くさく顔を左右に振って静かにせいなどとはいえず、この連中も西郷がまさかそんな馬鹿な制止をするはずがないと思い、大安心で騒いだにちがいない。

警察は、どうしていたのか。

川路利良はこの時期外遊する直前で、かれは邏卒総長として東京の警備の直接の担当者であった。

「きょうは、大騒ぎになる」

と、川路は予感した。もっともかれも薩摩人である以上、個人としてこの中村楼へゆく義理はあったのだが、「御用ごわンで」と、世話人にあらかじめことわっておいた。

かれはみずから邏卒二百人をひきい、中村楼をそれとなく包囲し、騒ぎが中村楼以外におよぶことをふせいだ。この特別警戒には薩摩出身の邏卒のみをえらんだ。他藩出身者に薩摩集団のそれも私的な騒動の警戒をやらせるのはどうもまずかったのである。

「おそらく中村楼は潰れっじゃろ」

と、川路はあらかじめ邏卒に騒動の予想規模をあたまに入れさせた。川路は薩摩人をもっともよく知っていた。あの連中が暴れる以上、酒楼の屋台はまともには残るまい。

「しかし、他の料理屋に損害を及ぼすな」

と、警戒の主眼を徹底させた。

乱が自然におわったあと、川路は中村楼に入って主人に被害額を付け出させ、それを西郷のもとに送っておいた。西郷はだまって支払った。


ついでながら、西郷を運ぶための人力車を用意していたのも、川路である。人力車は横丁に待機させておいた。この当時の人力車にはその後に出現するあの扇子式の折りたたみ機能をもった便利幌《ほろ》というものがなく、四つの柱のさきに陽《ひ》よけの布がぴんと張られているだけで、車輪も大八車のそれとかわらず、懸架バネもついておらず、むろんゴムタイヤも装着されていないから、走ればがらがらと無粋な音がした。川路は西郷の巨体を考え、轅《ながえ》をひっぱる車夫と、あと押しをする車夫を待機させた。

川路は宴会がはじまる前に、陸軍中佐野津道貫にそっと耳打ちして、

「巨人《うど》さァのこっを頼む」

と、人力車の用意もうちあけておいた。

野津道貫は西郷を敬愛することは人後に落ちなかったが、しかし数年後に勃発《ぼっぱつ》する西南戦争では官軍として第二旅団参謀長になり、西郷軍と戦い、これがために陣中人知れず落涙していたという人物である。明治期を通じての典型的な野戦攻城の武将であり、その頑固さについても逸話が多いが、しかし一面理性が強靭《きょうじん》で、感情で行動するという

ところはなかった。野津は川路がそれだけ言っただけで、川路が考えているこの宴会での西郷の政治的救済策をのみこんだ。

「わかった」

と、野津はいった。西郷は酒に弱い。まず酔いつぶさせることだ、と野津は考えた。酔いつぶれれば野津の懇意な連中だけで西郷を運びだす。この場合、川路の配下の警官の手を借りてはいけない。

この点、川路も気遣《きづか》いしていた。薩摩系軍人と薩摩系警官とはたがいに郷党でありながら仲がわるい。すでにのべたように近衛の将校は城下士（他藩でいう上士）で、警官は郷士で構成されている。城下士は郷士をいやしめることはなはだしく、かといって郷士はたとえば土佐におけるように露骨に城下士と対抗するというほどの険悪さはなかったが、事と次第では積年の鬱屈のためにどう爆発するかわからない。そうなれば、軍隊対警察の大喧嘩になってしまう。警官はいっさい姿を見せぬように伏せておくという川路の配慮が、野津にもわかった。

結局は、西郷はかつぎ出された。

西郷をかつぎ出した野津の仲間は、多分に必然的なにおいがするが西南戦争において官軍に残った連中であった。西郷は巨大な爆発物に似ており、これを燃えさかる炎のそばに置くまいというのが野津や川路の官軍的理性というべきものであったろう。

西郷の体を人力車に載せるとき、野津が西郷の頭部をささえて苦しそうであったため、川路が西郷の大きな肩をささえた。陸軍大佐種田政明など数人が腰まわりや両脚《りょうあし》にとりついた。

どすん、と車台の固い板の上におとすと、

「痛《いて》」

と、西郷が一瞬目をひらき、笑った。意識不明であるはずだった。すべてが解《わか》ってわざと担《かつ》がれていたのか、それとも酔ってたまたま「痛《いて》」といったのか、川路ら同郷人がみても見当がつきかねるところが西郷にあった。

そのあと、川路は私服数人に随行させた。

この酒間で陸軍少将桐野利秋がどうしていたかといえば、かれは横浜で仕立てた軍服を瀟洒《しょうしゃ》に着こなして、その座から動かず、喧噪《けんそう》のなかにもまじらず、端然と飲んでいた。

「半次郎どん」

といって、下級将校のくせに桐野に杯を突きつけてくる者もあれば、中村さァ、と旧姓をよんで杯を貰《もら》いにくる者もある。桐野は元来、大酒家ではなかったが、比類がないという極端な形容が日本国で桐野にかぎって許されるほどに負けずぎらいで、杯の献酬で往来する酒はことごとく飲んだ。体の中に叩《たた》きこんで酒を殺してしまうような飲み方で、人前では決して酔態を見せない。が、限度に来ると、しるこを注文した。酒は打ち切りといった合図がわりに、しるこの椀《わん》を膝の前に置くのである。それを跨《また》いでまでして桐野に酒をすすめにくる者はなかった。来れば桐野が叩っ斬るというわけでもなかったが、桐野のしるこ椀には一同をしりぞけさせるだけの気魄がこもっていた。

幕末、薩長土の連中がよく行った東山の料亭に「曙亭《あけぼのてい》」というのがあった。「曙亭」というのは仕出しもし、座敷も貸す。そのうえ軒下に緋毛氈《ひもうせん》を敷いた床几《しょうぎ》を出してぜんざいも売っていた。あるとき奥で酒を飲んでいた桐野（当時は中村半次郎だが）が軒下へ出てきてぜんざいを二十六杯のんだということで当時有名であった。酒に飽きるとぜんざいにし、そのときはもう酒を勧めるなという桐野のこの習慣にその朋輩たちが承服していたについては、それだけの実績が裏打ちされていた。

さらにいえば桐野のそばに喧噪の渦がやって来ないについては、そのことにも実績があった。桐野が人を斬るときのすさまじさを、現場でみて知っている者がこの場に何人もいたし、それ以外の全員が聞きつたえて知っていた。

幕末、京都の二本松の薩摩藩邸に砲術を教えにきていた赤松某という浪人が幕府の間《かん》諜《ちょう》であるといううわさが立ち、桐野がそれとなく調べるとどうもそうらしかった。ある日、赤松が藩邸を辞したとき、桐野が「そこまでお送りしましょう」といって、田代五郎という同藩の士と連れ立って送った。赤松が真ン中である。途中砲術の話などしながら柳馬場《やなぎのばんば》四条下ルまできたとき、往来の人影が絶えた。桐野は数歩前に踏み出し、赤松をふりかえるや、ただ一刀で即死させた。そのまま桐野らが去り、あとに死骸だけ残った。往来の人が発見したときは、白昼ながら誰が斬《や》ったともわからず、死骸がひとりで死んだかのような、それほどの早業《はやわざ》であった。

桐野は酒間、しばしば笑顔になった。桐野の笑顔というのは透きとおったような、ひどく人懐《ひとなつ》っこさを感じさせる印象だったが、それでもなんとなく乱暴者たちも桐野にだけは遠慮をした。もっとも桐野が幕末に幕府を相手にやってきたそれにくらべればこの酒間の乱暴など笑止の沙汰であった。そのことは、そのあたりで組打ちをやっている連中にも骨のずいから分かっており、このため木強漢《ぼっけもん》を男の典型とするこれら薩摩の連中は、桐野をもって神聖乱暴者といったふうに一目置いた処遇をしていた。

話の前後することがやや気になるが、桐野利秋にいますこし触れておかねば、この中村楼の酒宴にすわっていた桐野の個人史での情景が鮮明にならない。

桐野が、薩摩士族の仲間で城下士から卑しめられた郷士階級の出身であることはすでにのべた。吉野郷でうまれた。

郷士は単に身分にすぎず、郷士には富家もあったが、しかし桐野の生家は極貧であった。その家屋は家というより小屋であった。たとえば家のまわりを壁でかこむ程度の財力もなく、杉や檜《ひのき》の皮を貼《は》りつけただけで、部屋も二間程度しかなく、厠は屋外にあった。屋根は板である。

薩摩郷士の日常生活は百姓と似ている。農耕をして自給自足したが、桐野は非水田地帯に住む郷士だったために、主食に薩摩芋をつくっていた。家に現金収入というものはなかった。このため書物を買えず、桐野の少年時代は字も読めなかったにひとしい。もっとも武士の貧窮は薩摩人にとってはむしろ精神美にさえなる場合があって、このことは少年期の桐野にとって苦痛ではなかった。

「俺《おい》は貧乏じゃったから学問はない」

ということが、桐野の壮年期の自慢にさえなっていた。貧乏へのほこりが無学についてのほこりにまでなっている。ついでながら薩摩の武士道徳においては無学も恥とするに足りなかった。戦国以来江戸期を通じて薩摩藩でもっとも高貴とされてきた人間の価値はいさぎよさと勇敢と弱者に対する憐《あわ》れみという三つで、武士の学問などはほどほどでよいとされていた。幕末の諸藩では教養人が指導者になったが、桐野のようなするどい野性が珍重されて、やがて卑士階級から城下士の統率者にまでのしあがるというのは、薩摩以外には絶無といっていい稀少《きしょう》現象だった。

——桐野は無学ではなかった。

という説がある。筆者もかつて桐野の無学に触れたとき、読者から抗議の手紙をもらって閉口した。そのひとは桐野の書蹟《しょせき》を所蔵していた。即興の漢詩が書かれており、運筆もよほど練れていて、筆勢に桐野らしい気魄がこもっているという。これでなお桐野が無学か、というのである。

しかし、桐野は寺子屋課程での文字がやっと書ける程度の素養しかなかった。

「桐野利秋の揮毫《きごう》」

として遺《のこ》っている多くは、桐野が書いたものではなく、その友人たちが書いたものであった。

幕末の桐野は薩摩藩内でも無名で、鳥羽伏見ノ戦いのときに西郷から抜擢されたのだが、それでもなお小隊の小頭《こがしら》見習だった。そういう時代の桐野に対して揮毫を頼む者はなかった。

「桐野先生、なにか書いてください」

と、出入りの商人などから頼まれるようになったのは、陸軍少将になってからである。桐野は頼まれればことわらなかった。そういうことは、なにが人生の大事かということのみを考えている桐野にとって微々たる小事であった。

「よし、書く」

といって、あとは友人にまかせた。桐野の代筆をもっとも多くやったのは、桐野の戦友で文官コースへ行った有馬藤太純雄である。有馬は理屈っぽさをのぞいては桐野に性格が似ていたから、その筆跡はいかにも桐野らしさが躍如としていた。

桐野はまったく独力でそのふしぎな「教養」をつくりあげた。

かれの前半生を剣客として特徴づけたその剣技でさえ、師匠というものはなかった。

かれは吉野郷で百姓をしながら、細丸太で立木を打ってみずから剣を自得した。面《めん》や籠手《こて》あるいは竹刀《しない》というものをもったことがなかった。もっとも薩摩の示現流にはそういう道具はなく、ただひたすらに立木を打つ。この薩摩独特の流儀だからこそ桐野は独習できた。太刀行《たちゆき》という、ふりかぶってふりおろす太刀の迅《はや》さを一秒の何分の一でも敵よりもはやくすれば敵が斬れる。防ぎはなかった。攻撃のみの流儀で、もし一ノ太刀を仕損ずれば死ぬ。死ぬことが当然という考え方のもとに成立した剣法である。

桐野は長じてから鹿児島城下の藩の師範のもとに習いに行った。師範は桐野の使いぶりをみておどろき、

「お前《まん》さァに教える事《こつ》はなか」

として客分として遇したほどであった。

もっとも桐野が吉野からどんどん歩いて城下に出てくるということは、城下士の子弟にとって笑止千万のことであった。かれらは橋の袂《たもと》で桐野を待ち伏せして喧嘩を売った。桐野ほどの喧嘩の名人が、この城下士の連中に抵抗しなかったことは、薩摩の武士階級の身分意識をよくあらわしている。おなじ郷士でも土佐の場合は、

「土佐の郷士は下（農民）についた」

といわれているように、幕末、上士が支配している藩から脱《ぬ》け出し、維新後は自由民権運動をおこしたが、これに対し、

「薩摩の郷士は上（城下士）につく」

といわれているように、郷士は鹿児島の城下士には抗《あらが》ってはならぬという意識が徹底している。桐野でさえ抗わなかった。かれはにこにこ笑ってされるままになった。城下

士たちは桐野を橋上から川へほうりこんだ。桐野は甘んじて落ち、泳いで対岸へ這《は》いのぼる。翌日も、城下士が橋のたもとで待ちうけている。桐野は避けずに、

「御免」

といって通りすぎようとする。城下士たちは桐野の手足をつかみ、宙にほうりあげて川へ落下させる。桐野は甘んじて落ちてゆく。これを数日くりかえすうちに城下士のほうが気味わるくなり、桐野に謝って交友を結んだという。

桐野は幕末、京へ出てきたとき、まったく無名の男であった。水戸の武田耕雲斎らいわゆる天狗党《てんぐとう》数千が越前敦賀《つるが》までやってくるという異常事件がおこったとき、かれは単身偵察に出かけ、精密な報告を西郷のもとにもたらした。西郷が桐野の聡明さに感心したのはこのときからである。

それまで桐野は、天下の情勢というものを知らなかった。桐野に天下の情勢を教え、さらに政治的理想をおしえ、あるいは情勢を観察する方法まで教えたのは、同藩の田中幸助という者であった。田中幸助はそういう意味では桐野にとって政治学の教師であった。桐野はすべて耳学問でやってゆく男だが、田中幸助から政治についての知識をちょっと仕入れただけで武田耕雲斎事件についてたれよりも精密でたれよりも洞察力《どうさつりょく》をもった報告ができたということからみても、乱世にのみあらわれてくる天才的人物のひとりともいえた。

この中村楼騒動のとき、川路は最後まで同楼付近にいて警戒を指揮した。

「警戒」

ということがいえるかどうか。元来、警察がおこなうべき任務は、公共の安寧《あんねい》を害する不法行為や暴力から市民をまもることであったが、この場合はそうではなく、薩摩軍人たちの集団的酒乱を中村楼という一定の空間だけにとどめておくための警戒であった。日本はじまって以来、こういうばかばかしい業務に治安機関がつかわれたためしがない。

薩摩人は天下をとった。かれらは軍人と文官とそして警察官にわかれた。中村楼騒動はごく簡単にいえば薄給の薩摩系軍人が高給の薩摩系文官をなぐるための大会であり、しかもその喧嘩大会を薩摩系警察官が、中村楼だけに土俵を限定すべく遠巻きに保護するという役割を演じたというこっけいきわまりないものなのである。

(話にならん)

と、川路は不愉快であった。

といって、川路は喧嘩がきらいではない。

薩摩の武士集団というのは、戦国末期、明国《ミンこく》のひとびとから石曼子《シーマンズ》(島津)とよばれて海外にまで名をとどろかせたほどに勇武を尚《とうと》ぶ。江戸期になってもこの藩は自藩の武が衰えることをおそれ、藩をあげて少年教育に熱中した。郷中《ごうちゅう》という少年団にすべての少年を所属せしめ、郷中単位で少年たちを相互に切磋《せっさ》琢磨《たくま》させた。少年教育の目標は学問を高めるというものではなく、心のさわやかさをもって第一とし、臆病をもってもっとも卑しいものとし、勇強を尊ぶがしかし弱者や年少者へのいたわりのないものを軽蔑した。郷中では少年の喧嘩はむしろ奨励された。喧嘩は弱者が強者に挑《いど》むべきものとされ、弱者はおのれの弱をかえりみず、死に身になって闘う。喧嘩は一個のスポーツであり、それがおわれば怨恨をのこさないということをもって美とされた。

ついでながら西郷が幕末、かれの幕僚として身辺で使った者たちの多くは、かれの生家である鹿児島城下甲突川《こうつきがわ》のほとりにある加治屋町の郷中出身の者たちである。川路も幕末みずから一隊を編成して戊辰の戦乱に従軍したが、その連中のほとんどがかれの郷中の者であった。

要するに薩摩人にとって喧嘩さわぎというのは、たとえば西洋人が酒を飲んでダンスを愉《たの》しむようなものであり、他藩人がみるほど深刻なものではない。

ただ邏卒総長の川路にとってこまるのは、

——東京の真ン中で。

ということであった。薩摩人は馬上天下を取り、東京政府の事実上のあるじになったが、そのお国ぶりを帝都の真っ只中に持ちこんでいるということなのである。それも書生ではなかった。陸海軍の将官もおれば太政官（政府）の大官もいる。それら高官どもがたがいに入りみだれてコブシを飛ばし組み打ってころげまわるというようでは、他の日本人はこの集団をどう思うであろう。

中村楼騒動の一件、つづける。

この騒ぎがおわると、川路が屋内に入って損傷状態を検分したことは、すでにふれた。かれが階上にあがって桐野に対面したことは、まだ触れていない。

川路が息をのむ思いで見た光景は、家具や器物の散乱した狼藉のすさまじさではなかった。一同がひきあげてしまったその座敷で、桐野少将だけが居残って、すでに冷えてしまった酒を、飲むともなく飲んでいたことである。

桐野は軍服の襟《えり》ひとつ崩さず、右肩をややあげて杯をふくみ、杯越しに川路をにらんだ。

「役目か。——」

と、桐野は冷笑した。桐野にすれば川路が薩摩人として今日の宴に参加することを避け、宴のあとポリスとしての役目でこの廃墟《はいきょ》のような現場にやってきたことを笑止におもったのである。

「役目できた」

と、川路は桐野の視線をはねかえした。川路にすれば桐野が陸軍少将のくせにその配下の軍人たちの狼藉を鎮《しず》めることもできず、さらには両人にとって大恩人である西郷を呆然《ぼうぜん》自失せしめるような立場に置かしめ、西郷をしてみずから酔いつぶれざるをえないような（と川路はみている）窮地に追いこんだ責任は桐野にあるとおもっている。西郷をその寓居に運んだのは川路であった。桐野はそれすらしなかったではないか。

「ポリスのくるところではない」

と、桐野はいった。

川路は怒気をしずめるために息をゆっくりと吸い、やがて言葉とともにゆるゆると吐いた。

「――この中村楼は」

と、川路はいう。兵営か、といった。川路はさらに息を吸い、ふたたび吐きつつ、

「兵営なら勝手にあばれよ。しかしここは市中である。市中の安寧をまもるために邏卒がいる。邏卒の総長はこの川路である」

「議をいうか」

と、桐野は目を据えた。酔っていた。抜刀するかもしれず、げんに桐野の背後の柱にかれの西洋拵《ごしら》えの大刀が立てかけてあった。

川路も腰に西洋拵えの大刀を吊《つ》っている。川路の生家には使えるような刀は一振しかなく、この一振をもって蛤御門ノ変以来戊辰の騒乱をくぐってきた。鋩子《ぼうし》は折れ、刃こぼれもいくつかあったが、しかし抜きあわせても桐野に負けるとは川路はおもっていない。自分も死ぬ。死の寸前に剣をのばし、桐野の胸を刺しつらぬく。そういう覚悟がなければ桐野のような男がもっている野性の気魄を前にして立っているだけでも不可能だった。

「貴君《おはん》は、それでよかろ」

と、桐野は急に気を抜いた。かえってそれが危険だった。桐野は、いう。貴君はせいぜい中村楼の安寧を考えておればよい、俺《おい》は日本の安寧を考えちょる、日本の安寧のために中村楼の屋台のふたつや三つひっ潰しても何があるか、と桐野はいうのだが、これは酒の勢いに相違ない。それと川路に対する虫の好かなさという感情が桐野にある。さらには売言葉でもあった。川路の応じ方次第ではかれの腕の一本ぐらいはヘシ折ってやるつもりだった。

桐野は、起《た》ちあがった。

ふりかえりざま、背後の軍刀をとった。

やるのか、と川路は内心、桐野の抜打ちに対して身構えたが、しかし川路を再び見た桐野の表情は、一変していた。別人のような笑顔になっていた。桐野は忿《いか》りを持続できる性格ではない。風が吹きぬけるような微笑で、

「風呂《ふろ》にでも入るか」

と、川路をうながした。桐野は風呂好きで、風呂に入るために酒楼へあがることさえあった。しかしこの中村楼はこれほどの被害をうけて、風呂の支度《したく》などできているはずがなかった。

が、桐野はすでに命じてある、といった。薩摩人たちがあれほど荒れくるっていた真っ最中、桐野は騒ぎなどお構いなしに女中をよび、俺《おい》は風呂じゃ、風呂を立てておいて

くれんか、と言いつけておいたのである。

川路も妙なぐあいになった。断れば桐野に気圧《けお》されてしまったようで、無言で桐野に従った。

湯殿は階下の裏庭に面したところに建てられている。

二人は杉戸をあけて、湯殿の板敷に入った。桐野は陸軍少将の軍服をぬぎ、川路も邏卒総長の官服をぬいだ。双方素裸になると、身の丈《たけ》こそ川路のほうが首一つ高かったが、筋骨は桐野のほうがたくましかった。

湯槽《ゆぶね》は、鋳鉄《ちゆうてつ》でできている。

桐野の入浴法は変わっていた。桶《おけ》で湯を汲《く》み出し、わっと天井にむかってぶらあげた。何杯もそのようにし、さらに板壁にぶっかけた。その作業中しぶきが川路にかかり、夕立に遭《あ》っているような感じであった。頭髪も顔もびしょ濡《ぬ》れになった。しかし川路は桐野のするがままにまかせた。

「俺《おい》は湯気が好きでな」

と、桐野は弁解した。なるほど、湯殿に籠《こも》っていた湯気がいっそう濃くなっていた。

川路は腰をおろした。桐野はその川路の背後から左肩に手をかけ、有無をいわせずに背中をこすりはじめた。固くしぼりあげた手拭《てぬぐい》で垢《あか》をこすっているらしく、鉋《かんな》でけずられているように痛かった。五分ばかりその作業をつづけて、あとは熱湯をかけた。飛びあがるほど熱かった。

しかし親切といえば、親切である。

(変な男だ)

とおもったが、そのあとが一層変であった。

桐野は川路にシャボンを渡し、このシャボンで俺《おい》の背を洗ってくれ、といった。桐野の愛用のシャボンらしく、いい匂《にお》いがした。川路の背中には使わず、自分の背中にだけシャボンを使うのである。川路はやむなくそのシャボンを桐野の固い背中にこすりつけた。

「川路、幕府は倒れた。しかし代わって出来たのは酷府じゃ。士も民も泣いちょるぞ」

と、桐野はいったが、川路はだまっていた。この中村楼での入浴は、渡欧以前の川路にとって、桐野に対する濃厚な思い出になった。

征韓論

征韓論について。

この議論が正式に太政官の廟議《びょうぎ》にかけられたのは、明治六年六月十二日である。

当時、西郷は健康がすぐれなかった。すこし歩くと息切れがし、心臓に圧迫感があった。

「ともかく、私の屋敷で寝起きして下さい」

と、弟の従道《つぐみち》がやかましくすすめた。西郷は書生や下僕といった武骨な連中にとりまかれていて、かれの日常の世話がゆきとどかない。女手が必要であった。西郷は女手を欲しなかった。といって禁欲論者ではなく、たとえばその巨大な男根をひとにみせて笑わせたりする諧謔《かいぎやく》趣味を濃厚にもっていたが、しかしこの東京にあっては婦人をいっさい身辺に近づけず、また酒楼に登って芸妓とかかわりをもつということもしなかった。この私生活の清潔さはかれの無言の政治批判でもあった。かつての革命の士たちが天下をとって太政官の大官になるや、いちはやく妾《めかけ》を蓄《たくわ》えたり、花柳界で豪遊したりすることが流行のようになっていた。西郷は他人の漁色について厳格なことを言ったことのない人物であったが、しかし革命政府の清潔ということについては異常なほどやかましく、すくなくとも自分に対してだけは修道僧のような生活を課していたのである。

が、病気になった場合には、男手ばかりではうまくゆかなかった。従道はそのことを不安がって、この時期、西郷を自分の渋谷《しぶや》金王町《こんのうちょう》の屋敷にひきとっていたのである。西郷の滑稽さは、参議・陸軍大将・近衛都督でありながら、弟の家の居候《いそうろう》であったことである。

従道は、政府が医学教育のためにドイツからまねいたホフマンという内科医のところに西郷をつれてゆき、その診察をうけさせた。

ホフマンは西郷が肥満しすぎていることを指摘し、運動をすすめた。

そういう時期に、西郷の持論であった征韓論が、正式に廟議にかけられたのである。

西郷は、病いを押して出席した。

この日、六人の参議が出席した。

薩摩出身の西郷隆盛を筆頭に、土佐出身の板垣退助、おなじく後藤象二郎、肥前佐賀出身の大隈重信、おなじく大木喬任《たかとう》、江藤新平である。議長格として公卿出身の太政大臣三条実美《さねとみ》が出た。

板垣は政論はつねに痛快でなければならないと思っている男で、この席上まっさきに口火を切り、朝鮮国の暴慢はもはや極に達している、ただちに韓半島に兵を送るべきである、外交談判などはそれからのことだ、と主張した。板垣というもっとも過激な征韓論者が、のち自由民権運動の急先鋒に転ずるというところをみても、この時期の征韓論がいかに複雑なエネルギーをふくんだものであったかがわかる。

西郷のほうが、むしろ温和であった。西郷は断じて軍事行動は不可である、と反対した。まず特命全権大使を送る、意をつくして朝鮮側と話しあい、それでもなお朝鮮側が聴き容《い》れなければ世界に義を明らかにして出兵する、といった。その特命全権大使はかつてのペリーのごとく軍艦に乗って出かけたり、護衛部隊をつれて行ったりすることも不可である、いっさい兵器をもたずに韓都へ乗りこむ、あるいは殺されるかもしれないが、その役は私にやらせてもらいたい、と西郷はいった。

この征韓論という一国の運命を決定しようとしている内閣（廟堂）は、厳密には留守内閣であるにすぎない。

おもな閣僚（参議）は、外遊している。

「近代国家というものはどうすれば作れるか」

という国家見学団であるということはすでにのべた。新興国家でこのような大見学団を海外に派遣した例は世界史にない。

繰りかえすが、その外遊派は、公卿出身の岩倉具視《ともみ》を首領とし、薩の大久保利通、長の木戸孝允が二本の柱になっている。さらにかれらの後輩ながらかれら以上に機敏な文明摂取能力をもっている長の伊藤博文が、この外遊団の事実上の事務局長として活躍するのである。伊藤は大久保や木戸からみれば小才の利《き》いた小僧にすぎないという印象もあった。しかしながら政治的感受性の鋭敏な伊藤が、大久保・木戸という、すでに哲学的な意味においてさえ巨峰になりつつある難物（伊藤からみれば）に対して、それらを巧みにあやつりつつ後年のかれの政治能力や基礎をこの外遊中につくりあげるのである。

余談ながら、あやつるとはいったが、伊藤はこの外遊中、

（他藩ながら薩摩の大久保のほうがずっと話が通りやすい。木戸は気質的な難物である）

とおもい、大久保に対して急速に接近した。伊藤は齢《とし》若いだけにすでに郷党（長州）ばなれしてしまっており、明治政府の新官僚としてのあたらしい型を自己のなかに作りだしつつあった。木戸はこれに対して不満であった。木戸も長州閥にとらわれているだけの狭量な男では決してなかったが、しかし感情家のかれは伊藤の現金さについては不愉快であった。木戸は旧長州藩時代、もともと百姓身分にすぎなかった伊藤を順次ひきたてていには士分にしてやり、さらに藩内で確立した革命政権においては人がましく口の利ける男にしてやったといういきさつがある。それが他党（薩閥）である大久保に

べたつくとはなにごとであろう。もっとも伊藤にすれば後年、

「木戸さんにはこまることが多かった」

と述べたように、ときに論理よりも感情が先立つ先輩の気むずかしさには閉口しきってはいたが。——

以上は、余談である。

要するに西郷、板垣、江藤、大隈、後藤らの「留守内閣」が征韓論を議しはじめたこの明治六年六月の時期にあたっては、外遊組はまだ帰国していなかった。大久保だけは単身帰国していたが、かれの留守中、かれが作ったはずの日本国家が急に侵略主義国家に変質しようとしていることに仰天し、しかも単独では抗するすべもなく、他の外遊組(とくにかれの政友の岩倉)が帰ってくるまで病気静養と称して、ある種の昆虫のように死んだまねをしようとし、それをしつつあった。

大久保にすれば、はらわたの煮えるような憤りがある。

「外遊組が帰るまで国家の大事を決してはならない」

という約束を、留守をまもる閣僚(参議)たちと入念に交換していたのである。征韓論ほどの大事はなかった。もちろんこれを実施すればたちどころに朝鮮の宗主国である清国とロシアは攻めてくるであろう。かれら留守参議は国家を玩具だとおもっているか、とおもった。

政治がもし論理のみで動くものであるとすれば、人類の歴史ははるかにかがやけるものであったろうと思われる。しかし政治においては論理という機械の作動する部分は不幸なことにわずかでしかない。

それよりも利害で動くということは大いにあるであろう。もっとも革命早々の日本国家の運営者たちは、政商の利益を代表していなかった。むしろ感情で動いた。感情が政治を動かす部分は、論理や利益よりもはるかに大きいといえるかもしれない。

「留守中は決して大事を決めてくれるな」

ということが、大久保ら外遊組と西郷ら留守組の約束であった。これは論理であった。しかし留守組にとっては、感情に転化した。

「ばかにするな」

と、留守組である土佐出身の参議板垣退助などは、元来論理好きの人間であるはずなのに、このことについては感情のかたまりになった。

「もし急な大事がおこれば」

と、双方の約束にいう、「留守組は出先にいる外遊組と手紙の往復によってこれを決する。しかしながら不急の大事は帰国後に議する」というこの骨子は、感情的にいえばこれほど留守組をこけにしたものはない。このころ板垣がいった言葉は、この感情を明《めい》晰《せき》な論理で表現したものであり、これからみるといよいよ政治とは感情の表現であるのかと思わざるをえない。

「さすれば使節（外遊組）は、われら内閣員（留守組）のやることを制縛し、言わず語らずのうちにわれら内閣員の言動を監視することになる。さりとは奇怪至極のことにあらずや」

大隈重信参議は、この間、外遊組のスパイとして留守組に入っていた。

「貴殿にたのむ」

と、大久保は出発前に大隈に言いふくめた。留守組のブレーキとなり、責任をもって出先へ報《し》らせてくれ、というのである。

大隈はその晩年は珍妙としか言いようのない自己肥大漢にすぎなかったが、しかし明治初年の少壮期においてはその政治的奇才が高く評価され、たしかにそれだけの才腕があった。かれは肥前佐賀藩の堅実な中級藩士の出身でありながら、きわめてふしぎなことに封建的な精神習俗をまったくもっていなかったし、生まれついての合理主義者で、たとえば旧藩主の鍋島家に対しても感傷的忠誠心をもたないだけでなく乾いた批評の目をもち、佐賀武士の聖典である「葉隠《はがくれ》」についてもあれほどばかな教えはない、と一笑に付しているような男であった。

かれの特技が、二つあった。外国人をこわがらなかったことで、もめごとがあると英国公使館あたりに押しかけて行っておそろしくブロークンな英語をがなりたてて日本側の利益を主張しきってくるということと、銭勘定が達者であるということだった。自分の銭勘定ができる上に、国家の銭勘定もできた。ところが薩長の志士あがりの元勲たちは外交と財政がなによりも苦手であった。このため大隈は佐賀藩という革命勢力としては第四番目に位置した藩の出身でありながら、大官たちにその才を珍重され、書生の身からたちまち参議という最高官にのしあがった。この大隈は、西郷に対する痛烈な批判者であった。

維新をくぐりぬけてきたこの草創の時代の国家運営者には、当然ながら強烈な痼癖《こへき》があった。

西郷の徒党から、

「肥前（佐賀）の小僧」

という程度にしか見られていなかった大隈重信にもそれがあった。大隈は自分の才略に陶酔するところがあり、かつその人間への価値観は単純で才略があるかないかで他人の値うちを見切ってしまうところがあった。

大隈は、

「西郷というのはよほどの阿呆《あほう》だ」

としんからおもっており、終生そういう見方を変えなかった。この場合の阿呆とは愛嬌《あいきょう》のある人格的まるさをいうことばではなく、智能的な低さのことである。

こういう才略主義というか、機鋒《きほう》の鋭さを誇るという癖は、大隈だけでなく肥前佐賀という旧幕以来秀才偏重主義の方針をとってきたその藩出身者の通癖であったともいえる。参議・司法卿の江藤新平にも大隈とそっくりの癖があった。

ひとつには佐賀藩のように幕府が瓦解してからにわかに官軍に参加して革命の果実だけを食った藩の出身者は、個々にあの血なまぐさい幕末の革命運動を経験しなかったためにその意味での坊《ぼっ》ちゃんくささがあるともいえた。薩長の士は、佐賀人とは政治体験がちがっていた。個々に革命の血風のなかをくぐってきて、「才略や機鋒のするどさだけでは仲間も動かせず、世の中も動かせない」ということを知るにいたっている。むしろなまなかな才人や策士は革命運動の過程で幕吏の目標にされて殺されるか、そうでなければ仲間の疑惑をうけて殺された。たとえば幕末に登場する志士たちのなかで出羽の清河八郎、越後の本間精一郎、長州の長井雅楽《うた》、おなじく赤根武人といった連中は、生きて維新を見ることができたどの元勲よりも頭脳が鋭敏であり、機略に長《た》け、稀代《きたい》といっていい才物たちであったが、しかしそれらはことごとく仲間のために殺された。

結局、物事をうごかすものは機略よりも、他を動かすに足る人格であるという智恵が、とくに薩摩人の場合は集団として備わるようになっていた。たとえば西郷は青年のころは藩の郡役所の下級吏員として能吏であった。幕末、薩摩の京都外交を担当したときは、かれの情勢分析力は他のいかなる志士よりもすぐれていた。

しかしながら西郷はその才略や機鋒を、どちらかといえば鈍重な肉質の外被でもって包みこんで露《あらわ》さないということを、ひとつには性格的にそうであったが、意識的にも心掛けていた。単純ないい方でいえば、政治は才略よりも人格であるという考え方をとった。

そのことが、大隈には愚物にみえた。

たしかに西郷には、大隈の指摘する愚物の面もあった。

「西郷はやたらに新政府に人をすいせんしてきた。そのほとんどがろくでもない連中だった」

と、大隈はいう。たしかにそうである。

その極端な例でいうと、紀州藩出身で才あまって詐欺漢になりかねまじい型の男がいて、西郷はその男の絢爛《けんらん》たる才幹にまどわされ、新政府に推挙したばかりか、「太政官は彼を盟主とし、自分もその下で働きたい」とまでいった。しばらくしてその男が馬脚をあらわしたとき、西郷は頭をかかえこんで自分の不明を恥じたが、大隈はそれをも西郷の暗愚として指摘している。

大隈重信は生前の西郷を敬遠した。死後の西郷に対しては過酷なほどの批評者であった。たとえば西郷が、

「この人をぜひ」

といって、各省へどんどん人を推挙してくる野放図な人柄の甘さを、大隈はきらった。が、その甘さが、西郷の魅力であることまで大隈は気づかなかった。

西郷は、人に対して城壁を設けなかった。その生活も書生式で、人は訪問しやすかっ

た。私は国を憂えています、というたぐいの人物ならたれでも会うというところがあった。幕末以来、憂国を売りものにする人間がふえた。そのほとんどがいかがわしい徒食者にすぎなかったことは、幕末体験を強烈にへている西郷は知りぬいていることであったが、しかしそれでもなおだまされつづけたところに、大隈の理解を越えた西郷の特質があった。

そういう意味では西郷の甘さはむしろ悲痛なものだった。かれは憂国憂民という身もだえするような戦慄によってその青春を成立せしめただけでなく、その半生はそれのみですごした。

維新が成立した。

ところができあがった政府は、永遠の理想主義者という悲劇性をもった西郷の精神からいえば、

「こういう堕落腐敗した政府をつくるために、あの惨憺《さんたん》たる幕末があったのだろうか。

斃《たお》れた無数の同志たちに顔むけができない」

という激情をおさえることができなかった。

当然ながら西郷は多面的な人格でもあった。つねに現実認識の能力を用意し、この悪《あ》しき政府をなんとか矯正しなければならないと考えるだけの冷静な一面もあった。さらにより一層現実感覚をもったもう一面のかれはぜひすばらしい国家設計能力をもった人間を野《や》から捜しだして政府に送りこまねばならないと思い、それが、かれの好きな天が

自分に命じている役目だとおもっていた。そういう天への感じ方が、もともと極端な悲劇的性格であるはずのかれをして、とびきり楽天的な外貌《がいぼう》をもたせるにいたっている。

このため、大隈のいうようないかがわしい人間が、

「自分は国家を憂えています」

といってやってくれば、西郷は哀れなほどむきになってその意見を聴いた。さらに猟官主義者がやってきて、

「政府はこうすべきです」

と、新規な政策論を展開すると、西郷はときに一大感動を発し、これはよほど有能な人物です、といって政府に送りこんだ。あるいは士族の特権を奪われたことで不平をもつ連中が、

「政府の圧政が民を塗炭《とたん》の苦しみにおとしいれています」

と、人民の悲惨さをのべると、西郷はその巨眼からポロポロ大粒の涙を落としたりした。維新後の西郷はたしかにだまされやすい男になっていた。

第一回征韓論廟議（閣議）における大隈重信の立場ほど、滑稽なものはなかった。

もっともかれの聡明さは、自分の滑稽な立場に気づいていたことであった。同時にかれの執拗《しつよう》な精神は、この滑稽さをかれの内部で深刻な怨《うら》みに変化させて、終生わすれなかったことである。具体的にいえば、終生西郷を憎んだ。

（この国家の賊敵め）

とさえおもったにちがいない。権力のなかに居ればときに人間は魔性になる。このときの大隈はたしかに魔性であった。この時期のかれの頭脳には、人によって異なるところの「正義」というこの奇怪で始末のわるいガス灯が煌々《こうこう》とともっていた。いかなる理性も、このおのれのみの「正義」というガス灯がともるとき、その「正義」にあわない他人がことごとく魔物にみえるのである。

「正義」ことに政治的正義というのは元来理念であるはずだが、実際の「正義」はこまったことに人間の形をとることが多い。たれそれは正義であり、たれそれは邪義であるというもので、大隈の場合の「正義」は大久保利通であった。

かれははじめ大久保にきらわれた。「深沈ニシテ深刻ナル性格」といわれた大久保ははじめ大隈重信という肥前佐賀藩出身の男をみて、

「小ざかしい策士」

としてうけとった。薩摩人はこの種のタイプをもっともきらう集団的性癖をもっており、大久保という一見薩摩ばなれのした男でも、その集団的性癖の埒外《らちがい》ではなかった。ところが大隈の異常さはいちはやく自分が大久保にきらわれていることに気づき、執拗に大久保に接近し、自分がいかなる者であるかを知ってもらうために懸命の努力をした。

「大隈のそういう所がよい」

というのが、大久保の人材観のひとつである。なにごとか大事を為《な》そうとすれば権力

者にとり入るべきだ、ということを、大久保は人に語ったことすらある。人というのは、旧幕臣出身の福地源一郎（桜痴）であった。大久保は旧幕時代、薩摩藩をうごかして倒幕勢力たらしめるために、藩主の実父の島津久光に接近し、囲碁をもって久光の機嫌をとることからはじめてついに久光の権力を利用して藩を動かした。「それ以外に物事をなす方法がない」というのが、大久保のいかにも現実家らしい権力政治観であった。

大久保は、大隈を知りぬいた。そういう大久保の非藩閥的態度が、大隈をして終生の大久保びいきにさせた理由のひとつだが、大久保がいかに大隈を信頼したかといえば、外遊にあたって、その出身を問わなかった。大隈を知りぬいた。使うべしとおもった。大久保は材幹を愛し、

「私の留守中、大蔵省をすべて君にまかせる」

といい、そのとおりにしたことである。この頃《ころ》の大蔵省は、国家財政だけでなく、その後の内務省や司法省さらに外務省などの機能の一部もしくは大部分をも兼ねた存在で、実務的には政府そのものであった。大隈がその後政治家として飛躍できたのは、このときの大久保の巨大な好意が基礎になっている。

さて、大隈の立場の滑稽さについてである。

つまり客観的には悲惨なことながら大隈重信という、かれ自身が自分を一大英傑であるとおもっているこの男は、この時期、大久保利通のスパイにすぎなかったともいえる。

大久保は外遊するとき、大蔵省を大隈にまかせただけでなく、

「諸豪の」

と、もっとも重大なことを私《ひそ》かに命じた。「……お守をたのむ」ということである。諸豪とは、留守内閣の英雄豪傑という意味だった。大久保はこの英雄どもに手を焼いていた。かれは良質で温順で開明的な能吏たちをあつめて新国家をつくろうとしているだけに、西郷のような革命の雄や、板垣退助のように戊辰《ぼしん》戦争の野戦司令官として戦国の名将に匹敵するほどの功績をあげた人物たちを、かれの内々の本心では棚にあげてしまおうと思っていたし、ときには邪魔者以外のなにものでもないとひそかにおもっていた。

大久保が大隈に囁《ささや》いた私命は、具体的にいえば、

「征韓論のような外交に関する大事および制度改革のような内政上の大事については留守内閣に決めさせるな。もしかれらがそれをしようとするとき貴下はブレーキになってもらいたい。あわせてそういう場合は出先まで急報してもらいたい」

という意味であった。

ところが明治六年六月十二日の征韓論についての第一回閣議がひらかれたとき、大隈はなすところがなかった。

大隈もおなじ参議とはいえ、西郷が咆《ほ》え、板垣がそれに和せば、手のつけようがなかった。とくに西郷が、

「なにも韓国に対して武力を用いようというのではございませぬ。ぜひ私に遣韓大使を仰せつけあって彼の国都へつかわしていただきたいということでございます」

というぶんには、大隈としては反対の仕様がなかった。西郷はことばの丁寧な人物で、こういう場合共通語をつかったが、粗野なことばをいっさい使わなかった。

土佐の後藤象二郎が雷同した。大隈とおなじ肥前佐賀系の江藤新平参議は一も二もなく征韓論派である。おなじく大木喬任は征韓論派でなかった。しかし反対もしなかった。大木はつねにそういう男で、大隈の頼りにはならない。

大隈はたまりかね、

「しかしいかに平和裡《り》に遣韓大使を送るといってもやがては戦争になるやもしれぬ。そのときは莫大《ばくだい》もなき金が要る。いま国庫に金のないことは諸賢もご存じのとおりである」

とかぼそげにいうと、同藩の江藤がするどくふりかえり、君は大蔵省をあずかる身ではないか、国庫に金があればたれでも財政はできる、国庫に金のないところを都合するのが君の役目ではないか、と一喝したために大隈は沈黙した。大隈は旧藩のむかしから江藤の弁舌にはかなわなかった。さらに大隈は、

「せめて岩倉大使以下が御帰国になってからのことにすれば如何《いかが》」

というと、西郷はこの男にはめずらしく大喝し、

「いまのお言葉、聞きずてなりませぬ。これしきのことが我等参議に決められぬと大隈殿はおおせありますか」

と大隈にせまったため、大隈はみるみる顔面蒼白《そうはく》になり、あとは沈黙してしまった。

大隈は、泣《な》きっ面《つら》の小僧のようであった。

（ともあれ、大久保に報告せねば）

とおもい、その第一回廟議があった夜、ひそかに大久保をその屋敷にたずね、面会した。

何度も繰りかえすようだが、大久保は先月に単身帰国したものの形式上はまだ外遊中ということになっている。参議としての職をとらず、かれが担当している大蔵省も大隈にまかせたきりで、実質は静養ということでいっさい人にも会わない。政治は勢力である。大久保はそのことをよく知っていた。西郷や江藤や板垣らが一大勢力をなして征韓論を唱えているが、これをつぶすためには勢力が必要であった。一人では何もできないと思い、岩倉以下の外遊組の要人が帰ってくるのを待っていたのである。

しかし大隈には会った。

大隈は、乾いた口調で報告した。この当時の日本人としてはめずらしく主観を入れることなく、感情を入れることなく物事が把握できたし、事実を事実として伝える能力をもっていた。この点について同時代に類型を求めると、かれは勝海舟や慶応義塾《ぎじゅく》の福沢諭吉に似ていた。が、勝や福沢よりも思考の密度が粗《あら》かった。ただがむしゃらな行動力はあった。そういう意味での行動力では、アジアのどこかに戦争のにおいがないかと嗅ぎまわっては兵器売りこみにやってくる欧米の冒険商人に似ており、そういう点になると、勝や福沢とはちがっていた。

「西郷が、そう言いましたか」

と、終始だまって報告をきいていた大久保は途中ポツンといった。大久保の表情に、名状しがたい淋《さび》しさの翳《かげ》がうかんだのを、大隈は見のがさず、終生わすれなかった。元来大久保はそういう男ではなく、つねに表情に薄い鋼《はがね》の面をかぶったような強靭さを感じさせる男で、喜怒哀楽をそとにあらわさなかった。ただ一度だけ、幕末当時、盟友の西郷が島津久光にきらわれたあまり、京都における政治活動を停止せしめられたとき、大久保は久光の信用を得ている立場ながら、西郷という無二の盟友の悲劇に同情し、さらには西郷をうしなっては薩摩藩の革命運動もしまいだという絶望感も手伝って、

「刺しちがえて死のう」

と、激情のあまり西郷に迫ったことがある。大久保は本来、そういうところがあった。

しかし、維新後は、政見を異にした。大久保は国権を愛し、国権を確立しようとしたが、西郷はむしろ歴史のかなたにみずから消えてしまおうとしていた。大久保の目からみれば、西郷は巨大な落魄者《らくはくしゃ》であった。

(ああいう男は、どうにもならない)

と、大久保は西郷をたれよりも愛しつつも、たれよりも憎むようになっていた。西郷は参議・陸軍大将・近衛都督という日本一の顕職をもちながら、自分が歴史から落魄した男だというふしぎな自己規定をしていた。事実そうであった。西郷は倒幕の英雄では

あったが、国家を建設するということの俗でよごれた手を必要とする仕事にはまるで適《む》かなかった。西郷は維新後しきりに百姓をやるといっていたが、それが本音であることを大久保はたれよりも知っていた。ただその歴史の落魄者が、遺韓大使という、自分にとってうってつけの大芝居をみつけたことが大久保にはうとましく思えた。西郷は、その大芝居に生命まで捨てようと思ってかかっている。大久保にすればそうされてはかれの新国家はぶちこわしになると肚《はら》の底から恐怖をおぼえていたであろう。

大隈の報告がおわった。

しかし大久保は微塵《みじん》も感想をのべず、

「以後もよろしくねがいます」

とのみいった。ふつう、こういう場合大隈に今後の策略をさずけたりするものであったが、策士といえば日本史上最大の策士である大久保はそういうことをいわなかった。かれは他人に策を授けたことがなかった。かれが、見当もつかないほどに深刻な大策士であるということは、こういう点にもあらわれていた。大隈の方針が自分の方針と一致している以上、あと大隈自身が策を考え、ときには命がけでその策をやるであろうということを知っていたのである。まかせたほうが、大隈にとってもやりやすいことを大久保は知っていた。

あとは、雑談になった。

大隈は、西郷がむやみに人を推挙してくることについてこぼした。

大久保は不意に、

「薩摩《くに》に東郷という者がごわしてなァ」

と、語りはじめた。東郷というのは、大久保や西郷とおなじ甲突川のそばの七十戸あまりの町内でうまれた青年で、大久保も西郷も東郷が赤ン坊のときから知っていた。東郷は平八郎といった。幕末には薩摩海軍に属し、函館まで転戦したが、乱がおさまってから横浜で英語を勉強し、さらに幕末以来の洋学者である箕作麟祥の塾で英語をまなんだ。可も不可もない成績だったが、篤実に勉強した。小柄でおとなしくて軍人にはむきそうにない青年だったし、当人もいったんは藩の海軍に籍を置いたことはあったが、希望としては鉄道技師になりたいと思っていた。このため東郷は大久保のところへきて、

「鉄道を学びたいが、外遊させてもらえないでしょうか」

と、たのんだ。大久保はこの青年は海軍よりも鉄道に適《む》いているかもしれないと思い、心中機会をみてそのようにしてやろうと思ったが、しかし口に出さなかった。

「考えておきましょう」

といっただけであった。じつのところ大久保は東郷についてはわるい印象をもっていた。あるとき薩摩の青年が群れあつまっている所で東郷がしきりに軽口をたたいては喋りちらしている光景を大久保はみた。後年、沈黙の提督として東郷の無口は世界中のひとびとがその特徴として知ったが、書生のころの東郷にはそういう所もあったらしい。

その後、薩摩人のあつまりで東郷の話が出たとき、大久保は、

「ああ喋ってはなァ」

といった。このことが、あとで東郷の耳にも入った。このため東郷は、鉄道と外遊のことを頼みはしたものの、大久保の返事がはかばかしくなかったので断られたとおもい、西郷のもとに行った。西郷は即座に、

「外遊はなんとかしてやろう。しかし鉄道は他《ほか》にもやる者があるはずで、なにも汝《わい》がやらんでもよか。汝には海軍がよか」

といったがために、後年の東郷の生涯がスタートしてしまった。西郷がどの程度東郷の将才を見たのかはわからないが、この場合については人物眼は大久保よりまさっていたことになる。


大隈は喋りだすととまらない。

ふと大久保は話の腰をピシリと折って、

「江藤というのは貴藩の出であったな」

と、わかりきったことをきいた。江藤は肥前佐賀藩が明治政府に送りこんだ鞘《さや》のない両刃《もろは》の剣のような男であった。触れれば怪我人《けがにん》が出る。しかし役には立つ。

江藤の才気には凄味《すごみ》があった。たとえば、日本にはドイツのような国家学はなかったが、国家学的頭脳のもちぬしは、江藤と大久保しかいなかったであろう。

「国家とは何ぞや」

という主題を、幕末のころから江藤も大久保も考えてきた。「おそらくこれが国家だろう」という想像で得た諸要素を建築材料とし、手品のように層々と組みあげて現実の国家をつくりあげてみせる才質は、この両人のほかにもっている者はない。

それだけに江藤は大久保を憎んだ。憎悪の理由は、

「大久保は薩摩閥だから力をもっている」

ということだけである。

このため国家をつくる仕事は、大久保という工匠の手にゆだねられている。肥前佐賀藩という微弱な勢力を背景とする江藤には施工権はなかった。それが江藤の憎悪になっていた。ただそれだけのことで他人を憎悪できるというのは一見異常にみえるが、しかし権力政治の社会ではごくありふれた感情であるにすぎない。もっともおなじ佐賀人出身の参議でも大隈や大木が大久保を憎まずにむしろこれに付属したのは、この両人は工匠になることをみずからあきらめ、左官や庭師にまわっていたからであった。

「あの江藤という姓は、どのように書きます」

と、大久保はぬけぬけと大隈にきいた。江藤は日本国の参議であり、司法卿を兼ねている。大久保がその姓の漢字を知らないはずはなかった。

「江の東でしたかな」

というと、大隈は心中あきれつつ、江の藤《ふじ》ですといった。このことは、大隈にとって

重大であった。

(なるほど、大久保は、江藤を憎んでいる)

ということである。同時に大隈に対し、

(――江藤とはつきあうな)

という威《おど》しとも強制ともつかぬ重大な圧迫を加えたも同然であった。

江藤はかねがね権謀で薩長閥を倒そうとしており、これが行政面では明治日本の法制の基礎を築いた男の権力政治の面での執拗な素志であった。

「長州は利口者ぞろいで切りくずしにくい。薩摩人は抜けている。まずこの方からきりくずして、のちに長州に及ぶ」

と、江藤は大隈に言っていた。大隈のみるところ、江藤の薩摩切りくずしの方法は、まず西郷をおだてることであった。それによって大久保と喧嘩をさせ、大久保を斃《たお》し、しかるのちに西郷をたおしてから長州を押し崩して第二維新を成就する。……

ただ江藤の拙《つたな》さはその策を人にも言い散らし、そのことが大久保の耳にも入っていたのである。

大久保は、征韓論者としての江藤をゆるしがたいとしていた。江藤は征韓論という国家の大事を道具にし、西郷を道具にし、政府(事実上は大久保の政府)を崩そうとしている、と大久保はみていた。

佐賀人である江藤参議が、

「薩摩人はバカだ」

という意味のことをいったのは、江藤の薩摩人に対する一般の印象だが、具体的にいえば西郷その人を指していた。

江藤のような触れれば切れるような理論家には、西郷がバカにみえたであろう。おなじ佐賀人である大隈にも西郷がバカにみえた。しかし大隈の場合のバカは低能無能という救いがたいバカである。

江藤のいうバカは、

「薩人は朴直（正直）にして淡泊なり。そのなすところも、大概、磊々落々《らいらいらくらく》として、公正を失はず」

という人格美としての表現である。磊落とは心がひろく小事にこだわらないさまを言う。たしかに世間では薩摩人は磊落とみていた。大久保にさえその薩摩式の精神美があった。大久保は磊落というにはものにこだわりすぎ、川路も磊落というには頭脳が緻密《ちみつ》すぎて仕事への粘着力がつよすぎるが、しかし両人とも江藤のいう「公正を失はず」という薩摩式の精神美においては、むしろ磊落の一典型のような陸軍少将桐野利秋よりも濃厚にあった。たとえば大久保も川路も、

「政府は薩長人のみを偏重すべきでない。人材であれば旧幕臣も旧会津藩士も抜擢すべきである」

という政府本位の立場をとった点で公正であったが、桐野利秋の場合は極端にいえば眼中薩摩のみあって日本国家などないというに似ていた。

要するに江藤は薩摩人をほめている。しかし江藤の人のわるさは、

「だから利用しやすい」

というところにある。江藤のいう利用とは、繰りかえしいうが、長州閥をたおすためであった。江藤は幕末以来いわれつづけているところの、

「長州人の怜悧《れいり》さ」

という特質がきらいであった。陰険だという。江藤は、長州閥の頭目である木戸孝允も陰険と見、副頭目格である井上馨《かおる》や山県有朋らを憎悪し、

「かれらはじつに狡猾《こうかい》である。時計の機械のように繊巧《せんこう》な頭脳をもっているが、しかしときに繊巧すぎて物事を大いにおこなうべきときに臆病になる。さらに真に大事をやるべきときになると、急に言葉をアイマイにし態度をぼやけさせてしまう。こういう怜悧陰険の徒がもし政府を牛耳《ぎゅうじ》るとすれば、かならず日本の将来に禍根をのこす。であるがために、薩人のうちの朴直なる者（西郷とその一派）と手をにぎり、大久保を追い、そのあと西郷をたおし、ついで長人を追いおとす。――追いおとすために」

と、江藤の論理は飛躍する。

「西郷と手をにぎって征韓論をやるのである」

江藤は緻密な論理家だが、同時にその論理に感情家であるかれの情念が入りすぎるた

め、しばしば飛躍する。その飛躍が、この卓抜した国家設計者の命とりになった。

「西郷の朴直は事を共にするに足る」

と、あれほど西郷の決起に期待しながら、かんじんの西郷は江藤に冷たかった。西郷は大隈や江藤のいうバカではなかった。かれは江藤に踊らされることなく江藤のほうが踊り、明治七年佐賀ノ乱をおこし、自滅した。西郷は冷然として江藤を見すてた。


征韓論についての第一回廟議で、大隈は西郷のために一喝され、小僧のようにあしらわれたことを、生涯うらみにおもった。

大隈にかかっては、西郷は二束三文であった。

「じつはあのとき西郷は窮しきっていたのだ」

と、大隈の西郷論は痛烈であった。西郷がなぜ征韓論のような暴論をとなえたかについてである。「こまりきっていたから、征韓論に食いついたのだ」と大隈はいう。

「あのころの西郷の立場はどうも悲惨だったな。かれはその主君である島津久光（藩主忠義の実父）から大悪人と罵られていて、まったく立つ瀬をうしなっていた」

と、いう。

島津久光は、西郷の少壮時代の藩主だった島津斉彬《なりあきら》の庶弟《しょてい》である。やがて斉彬が死に、その遺志により庶弟久光の実子である忠義が藩主になった。その忠義がまだ幼少であったため、久光が事実上の藩の最高権力者になった。

西郷はその当時から、不本意であった。

（こんな男が、藩主代理か）

と、吐き気を催すほどに久光をきらった。

西郷にとっての亡主斉彬は江戸二百七十年の大名のなかでもっとも英邁《えいまい》な人物であったであろう。幕末に出たあらゆる人材のなかで、斉彬ほどの識見と雄図と政治力と人間的魅力をもっていた人物はいなかった。その斉彬が、万をもって数える家臣団のなかから西郷という無名の青年を見つけ出し、西郷に思想と志を植えつけた。その思想と志が、西郷の終生のものになった。という点からいえば島津斉彬は西郷にとって主君であるよりももっと濃厚に恩師であり、生ける聖者であったのである。

その斉彬が安政五年（一八五八年）に急死したとき、

――久光一派が毒殺した。

といううわさがあったほど、島津家の内情はお由良《ゆら》騒動というかつてのお家騒動がなお尾をひいていただけに、深刻であった。

しかし久光自身は、かつてのお家騒動の目で物事を見るほど卑小な男ではなかった。卑小どころか、かれは大薩摩藩をひきいて天下に事をなそうという英雄的衝動をもっていた。

「事をなす」

ということについて、久光がむかし西郷をじきじきによんで相談したことがある。

このときの久光への西郷の態度は、露骨に侮辱的で、

「あなたが、御亡兄のまねをなさろうと思っても猿まねでしかありませんよ」

と言わんばかりであり、げんに西郷はきこえよがしに、

「ジゴロ」

とつぶやいた話は有名である。地五郎と書く。薩摩語で田舎者という意味である。西郷は久光に対して酷であった。久光は水準程度の男で、勇敢さと度胸にかけては殿様ばなれのしたところもあった。それだけに久光は西郷を憎むことはなはだしく、中国史上の謀叛人《むほんにん》の代表者である安禄山《あんろくざん》をひきあいに出し、西郷は安禄山だ、とつねづね罵っていた。

「あの安禄山めが」

と、島津久光がたえず西郷をそう言い、西郷をきらいぬいたということも、明治十年の西南戦争の一因であった。

明治維新は、いうまでもなく薩摩藩の力でできた。久光の意志ではなく、西郷の相棒である大久保が久光にとり入って久光を騙《だま》しぬき、騙すことによって藩の力をことごとく倒幕の大事業へたたきこんだために成就した。維新が成就するや、

「おれはいつ将軍になるのだ」

と久光がいったという伝説がある。これは伝説にすぎず、久光はそれほどわからずや

でもなかったが、しかし久光は類のない保守主義者で、頑固な封建制の保存主義者であり、その意味では維新には反対だったことはたしかである。かれは死ぬまでチョンマゲをのこし、洋医を近づけず、旧幕時代の殿さまのままの生活を明治二十年に病歿《びょうぼつ》するまで守りつづけたが、最後まで西郷と大久保を反逆者としてゆるさなかった。

「かれらが、島津家をだました」

と言いつづけたが、べつに革命主義者でもなかった島津久光にすればそうであろう。旧幕時代、大久保は久光のお気に入りだった。大久保は倒幕軍をおこすにあたって久光をだますために、

「天皇を戴《いただ》いて島津幕府をおこします」

というぐらいのことは、言外にほのめかしたかもしれない。でなければ久光のような男が出兵をゆるすはずがないとも考えられる。

ところが、西郷・大久保は久光を裏切った。とくに政府が開国方針をとり欧化政策をすすめはじめたことが、久光の憤慨を買った。

さらに久光を激怒させたのは明治四年七月の廃藩置県である。

維新後も旧幕時代と同様、三百諸藩が存在しつづけていたが、これを廃止して殿様たちを東京に住まわせ、全日本の政権を太政官に集中し、中央集権制を断行しなければなんのための維新であるかわからなかった。

この準備をしたのが、藩の大久保や長州の木戸たちで、西郷は当時鹿児島に隠遁《いんとん》のか

たちをとっており、準備段階では参加していない。しかし太政官は西郷という日本中に圧倒的人気をもつ人物を東京によびよせて西郷みずからが陣頭に立ってこれを断行せねば、全国は不平の士で満ち、収拾のつかぬことになると思った。このため西郷が東京によばれるのである。

西郷が東京へゆく前、久光はすでに廃藩置県の声をきいていたから西郷をよび、

「あれだけはするな。よいか」

と、西郷に承知させた。ところが西郷が東京へ入ると、廃藩置県に同調し、一挙に断行してしまった。

「其《そ》ノ職ヲ免ズ」

と、各藩主に辞令をあたえただけで、三百年の体制が一片の紙片でくずれたのである。久光の激怒はむりもなかった。

他藩からみれば、薩摩ほど奇妙で滑稽な藩はなかったであろう。

「なんと、薩摩の久光殿が大の佐幕党たりしとは」

というささやきは、東京に住むことを強制された殿様たちのあいだでひそひそと交《かわ》された。しかも維新第一等の大功臣である西郷が、その主家の島津家においては極端な不忠の臣とされて主君から罵倒されているということが、この廃藩置県であきらかになった。

「西郷こそ、我を売りたる者なれ」

と、久光は言いつづけている。久光はさらに、

「その主家（島津家）に対して不忠な者が、皇室に仕えて忠であるはずがない」

と言いつづけていた。当然、これらの言葉が西郷の耳に入った。ちょうど征韓論擡頭《たいとう》直前のころだったが、この久光の西郷攻撃ほど西郷にとって、つらかったことはなかった。

隠棲《いんせい》も考え、北海道へ逃げて百姓をして余生を送ることも考えた。まったく、その旧主から不忠者とののしられつづけている西郷は毎日生きた空もなかった。この衝撃が、もともと肥満していた西郷に心臓病をわずらわせ、ホフマン教授の診察をうけるというはめにまでなったのである。

きわめて異常なことだが、この時期、西郷は久光に詫《わ》び状を書いている。口語訳すると、

「いま自分は政府の官を頂戴《ちょうだい》して（大官になって）それに甘えている観があります」

と、悲痛な自己批判をしている。このように書かざるをえない理由は、国許《くにもと》の久光側近の薩摩人たちが久光にむかって、

「西郷や大久保ほどの悪人は古今に類がございませぬ。かれらは自分が大官になりたいために藩を利用し、幕府をたおし、あまつさえ廃藩置県で主家の領地をとりあげてしまいました。すべておのれの栄達のためでございます」

いるのである。

と言いつづけていたからである。このため西郷はわざわざこのように自分を批判しているのである。

詫び状、つづく。

「再生の御鴻恩《ごこうおん》忘却 仕《つかまつ》り候《そろ》」

というのは、久光に命をたすけてもらった大恩をわすれているかのようです、という意味である。旧幕時代、西郷は再度遠島になった。二度目は久光の意図に反して独断専行したため罪が重く、死罪になるところを流罪にしてもらった、ということで、この場合の流罪もひとびとは西郷に同情的で、なにもいまになって「死罪から助けてもらいました」と恩に着る必要はないのだが、旧主である以上、やむをえない。

「それだけの大恩をうけながら、ひどく私をお嫌いあそばしておりますこと、まことに恐懼《きょうく》の次第でございますので、いずれ参上仕り、その罪を謝し奉るつもりでおります」

じつは、明治政府は、廃藩置県のあと、島津久光の怒りを解くべく、明治五年六月、天皇みずからが鹿児島に行幸《ぎょうこう》しているほどであった。「封建制を崩した」という久光の怒りのすさまじさが、この一事でも想像がつくであろう。

評論風にいえば、大久保は結果としてずるかった。かれは明治四年の廃藩置県のあと、全国民がぼう然となり、やがて特権をうしなった士族の不平が日本国中に鳴動しはじめたころには、さっさと外遊してしまっているのである。

その士族の不平やら、一揆気分の百姓の不安やらを、結果としては西郷ら留守内閣にまかせた。

維新という革命の見返りは、

「なにもなかった。それはすべてを失ったことだ」

と、日本中の士族が喚《わめ》きあげようとしている時期である。革命というのは元来、支配・被支配階級のいかんをとわず、遠い将来は知らず、さしあたっての勘定からいえば失う利益のほうが大きい。たとえば武士階級が消滅したということだけでも士族にとっては大きく、とくに鹿児島県士族にとってはこれほどばかばかしいことはない。戊辰戦争で命を的にして、関東、北越、東北、北海道と転戦したのは鹿児島県士族である。その何割かが、東京駐屯の近衛兵になったり、警視庁に入って俸給をもらうことができたが、あとはすべて失業した。その失業武士を収容できるだけの近代産業も政府はまだ興しておらず、維新で政府のやったことといえば士族を山野に棄《す》てただけのことである。殿様の島津家も、立つ瀬がなかった。幕末の政治運動費も戊辰戦争の戦費も、島津家の自費でやったのである。それほど懸命にやってやっと維新が成立したとおもうと、政府が酬《むく》いたことは領地の召しあげ、四民平等という封建的島津家の否定であった。これほど踏みつけにした話はなく、それらの新政が「天皇」という名のもとに出ているため、

「結局は西郷の奸謀だ」

というしかない。大久保は外遊していた。残った西郷が、革命が必然的にもたらす旧

勢力没落と憤慨の悲鳴や怒声を、一身に受けざるをえなかったのである。西郷が悪謀の謀主として攻撃され、しかもその攻撃者たちが、旧主と同藩の士族という直接のつながりのある連中ばかりだったというところに、西郷の身もだえするほどのつらさがあった。

（いっそ、死のうか）

と、ときに極端な憂鬱症《ゆううつしょう》のなかに陥没してゆくこの人物は、何度そのことを願望したかわからない。

しかしかれには、かれが擁立した明治帝という年少の天皇がいた。この天皇をすてて自殺することもできず、結局は大久保不在中の明治五年六月に、かれは天皇の鹿児島行幸に供奉《ぐぶ》したのである。天皇に行ってもらうことによって、国許の久光の怒りが解ければという気持があった。

酷暑のなかで、汗かきの西郷は巨体を燕尾服《えんびふく》でつつみ、背もチョッキも汗みずくになっていた。西郷はどういうわけか、燕尾服に白帯を巻き、鬼丸造りの太刀を帯びて、当時の薩摩人の表現では「ノサリノサリ」と、つねに年少の帝のうしろを歩いていた。明治帝は西郷が好きで、終生西郷のことを語ったが、とくにこの鹿児島行幸のときの西郷の行状を逐一おぼえておられ、

「いろいろ可笑《おか》しかったよ」

と、西郷が西瓜《すいか》をたたき割って食っていた話などをされた。当の西郷の不幸は、それでもなお旧主久光の怒りを解くことができなかったことである。

要するに大隈のみるところでは、西郷は個人的窮境のなかにあり、おりから征韓論という対外論が発生したとき、

「自分はこれで死のう」

と、死所をそこに見出したのだという。

「西郷は英雄でも豪傑でもない」

と大隈は、西郷とともに数年太政官ですごしてそれがわかった、という。

しかし大隈の感覚ではとうていとらえられないところが西郷にあった。西郷は革命の成功者でありながら、革命が当然ひきおこすおびただしい惨禍のほうを一身でひきうけようとしたのである。古今東西に、こういう種類の革命家が存在したことがなかった。革命の成功者は当然革命の果実をむさぼり食ってよく、現にそうであった。むさぼらないまでも、革命政権の側に立って、革命によって悲鳴をあげている既成階級の悲惨さを冷然と見おろすほうがむしろ革命的正義であり、その既成階級がやがてむらがりおこって反革命運動で騒ぐとき、それに対して猛然と新政府軍を発して攻撃し、殲滅《せんめつ》するのが革命家の正義であった。

「反革命層のほうが、あわれだ」

という革命家が、どこにあるであろう。ところが、巨大な感情量をもって幕府を倒した西郷は、革命の成功で無用になったその超人的感情量を、維新によって没落した士族

階級への憐憫《れんびん》にむけたのである。たかだか才子にすぎない大隈は、西郷ほどに巨大な感情量をもたなかった。このため西郷が何者であるかを理解するだけの受信装置を本来もっていなかったのである。

西郷は、全国三百万人といわれる没落士族を救う道は、

「外征以外にない」

とみた。

単なる好戦的侵略論とみてやるべきではないであろう。このことは西郷にとって政策論ではなく、思想論とみてやるべきであった。

西郷はあくまでも武士革命者で、町人百姓の次元のひくい利己的精神ではかれの考える新国家はできないとおもっていた。むしろ外征をおこしてゆく過程において日本中を武士にすることによってのみこの国を世界のなかに屹立《きつりつ》せしめられるとおもっていた。このあたりの西郷の考えは革命的論理性からいえば計算性にとぼしく、多分に夢想的であった。しかし西郷はこの場合冷静な理性よりもゆたかな感情——同情心——でとらえた。

「日本は産業もなにもない。武士のみがある。武士という無私な奉公者を廃止して一体なにがのこるか。外国に誇るべき精神性がなにもないではないか」

とおもった。これを思った瞬間、すでにこの大革命家は、反革命家に転じていたのだが、それは西郷の知ったことではない。かれは一方では自分のつくった明治政府を愛さ

ざるをえない立場にあり、一方では没落士族への際限ない同情に身をもだえさせなければならない。

矛盾であった。

たしかに矛盾である。

「空前絶後」

という形容でもって、西郷の同時代人は西郷について評したが、西郷がその一身で掻《か》い抱いた矛盾も、空前絶後の大矛盾であった。

西郷の矛盾について触れておく。

かれは、幕府をたおした。

が、たおした瞬間、かれの感情というこの複雑な液体は倒されたほうへの同情で制御しがたいほどに波立ってやまなくなるらしい。

たとえば出羽庄内藩に対する場合がそうであった。

出羽庄内藩は鶴岡を城下とし、酒井家十七万石である。酒井家は井伊家とともに、家康以来、徳川家二本の柱ともいうべき譜代の家で、幕末にあっては、京都の治安活動を会津藩支配の新選組がうけもったように、江戸の治安のために新徴組という浪士結社を管理させられていた藩である。幕府瓦解後、官軍の東征に際して会津藩とともにもっともよく戦い、敗北後は当然革命の犯罪藩として苛烈な追及を受けるべき立場にあった。

ところが庄内藩にとって幸運なことは、この方面に西郷隆盛がきていたことである。西郷と官軍が、庄内藩の降伏とともに鶴岡城に入ったのは、明治元年九月二十七日である。

この場合、戦勝軍につきものの乱暴事件がなかったばかりか、庄内藩士はみな自宅謹慎を命ぜられただけで大小を帯びることをゆるされ、市中の商人も平常どおりに商売をし、大工左官もきのうの普請《ふしん》仕事をこの日もつづけていた。

このとき、西郷は二人のスタッフを従えていた。いま鹿児島県令の職にあって薩摩の郷土的利益の代表者である大山綱良（格之助・島津久光系）と、明治七年陸軍中将の職につき東京の薩摩系官界の一領袖《りようしゆう》となった黒田清隆であった。この両人も、薩摩の武士教育でいう、

——ヨワモノ（弱い者）イジメヲスルナ。

という、降伏者への憐憫のよくわかった連中で、その点での逸話が多い。

西郷は城受けとりのために入城し、藩主酒井忠篤に対面した。西郷に従っていた薩摩の若者高島鞆之助《とものすけ》（明治二十四年の陸軍大臣）は西郷のいんぎんな態度におどろき、

「あまりに謙譲すぎて、どちらが降伏するのやらわからなかった」

とあとで言い、西郷にもそのようにいうと、

「庄内の武士は、戦《いく》さに負けて降伏したのだ。その降伏した藩主の姿を痛々しくてみていられない。そういう降伏者に対し、こちらの態度がもし傲然戦勝者としてのぞめば、

相手はいよいよ萎縮《いしゆく》し、言うべきことも言えなくなる」

と、西郷はいった。

庄内藩士はこのときの西郷によほど感動したらしく、その後この地方をあげて西郷びいきになり、西南戦争のときには庄内藩士団が「戊辰の恩にむくいるため」といって鹿児島にかけつけたほどであった。

かれはおそらく、

「自分のしごとは幕府を倒すところまででとどめておきたかった」

と、維新後おもったにちがいない。

幕末の西郷には維新後の国家設計の青写真などはなかった。かれの理想は、そういうこまごまとした設計を計算するにはばく然としすぎ、むしろ強《し》いてばく然とさせていたところに西郷の特殊さがあった。

あるいはそれをことさら表現すれば、

「堯舜《ぎようしゆん》の世のような」

ということぐらいだったかもしれない。内に王道楽土をつくり、外は列強のあなどりを防ぐ、というだけの輪郭の不明瞭なものであった。倒幕についての攻略ではあれだけ緻密で雄大な構想と着実で地道な実行形態をとりつづけたこの人物が、新国家設計については一見まるで手ばなしの無能な姿をみせるのが、西郷の複雑な矛盾のひとつである。

が、西郷の人格の内部では、このことは不自然ではなかった。

幕府を倒した。

あと、新国家をつくらねばならないときに、当然おこるのが旧勢力の悲鳴である。たとえば諸大名の版籍奉還があって、のち諸大名および士族階級が土地人民の支配権をうしなうという廃藩置県がおこなわれた。これらに並行して徴兵制度が布《し》かれ、士族階級は最後の名誉であった武の特権までうばわれ、庶民に転落した。

「それはしかたがない」

と、西郷の理性はおもうのだが、しかしその量的に多すぎる感情は、この当然の改革をみるにしのびなかった。

「新国家」

というこのえたいの知れぬものが驀進《ばくしん》している。その巨大な機関車を大隈重信ら新官僚たちが運転していた。

西郷はぼう然とするのみであった。堯舜の世や王道楽土どころのさわぎではなかった。革命のあとにくるものは結局こういうものだとは西郷の理性はおもいつつも、しかしその感情は、新国家という巨大な機関車に轢《ひ》き殺されてゆく旧階級や旧階級の精神を見るにしのびなかったのである。

西郷は、

「旧階級と旧階級の精神」

というものを率いて幕府をたおした。ところがそれによって出来あがった新国家が、自分を生んだ「旧階級と旧階級の精神」を圧殺したのである。

西郷は明治四年のある日、土佐出身の参議板垣退助が重大な案件をもって相談にきたとき、

「西郷はもう時代遅れでなにもする気にもなりませぬ。どうか自分を無視してくださ い」

といって板垣をおどろかせたことがある。西郷は旧階級の悲鳴に堪《た》えられなかったし、さらにわるいことに西郷は武士の情や武士の理性だけが世の中を救いうると信じている人であり、それが文明開化の世を築くというあらたな日本の大義名分のために惨落してゆくことを見るに忍びなかった。維新後の西郷は生ける屍《しかばね》になろうという衝動がたえずあった。

繰りかえすようだが、その西郷の巨大な矛盾を一挙に解決してくれそうなのが「征韓論」だったのである。

「これ以外にない」

と、西郷はおもった。維新後、旧階級に対する罪責やら革命の幻滅やらのために鬱々としてむしろ歴史のかなたに消え去りたいとおもっていた西郷は、「これによって日本もたすかる。韓国もよくなる」と、矛盾の統一を信じたのである。

西郷がおもった征韓による「日本の幸福」は、士族階級の元気とモラルが戦争によっ

て復活するということであった。列強が干渉してもむろんかまわない。列強のうちの一国ぐらいを相手にして戦勝できる自信が西郷にはあった。幕末のある時期でこそ、長州下関攘夷戦争の惨敗などでもわかるように、日本は弱かった。その理由は数世紀前の兵器しかもっていなかったためであり、しかしいまは列強とかわらない銃器や大砲をもっている。これを用いる者は世界に冠たる日本武士であり、用兵の面でも、幕末の内乱を経てきて材幹は乏しくはない。むしろ列強よりまさるであろう。

「士族の気節と勇気を躍動せしめる」

という点で、西郷が苦に病んでいた没落階級がすくなくとも精神の面で復活するのである。

「韓国にとっての幸福」

という期待は、西郷の革命家らしい信仰的理論として存在した。

韓国の国家組織も社会制度も、世界の進運からみて老化しきっており、いずれはロシアの南下によって併呑《へいどん》されてしまうであろう。

「日本の明治維新に刺激されてかならず韓国に大内乱がおこる」

というのは、西郷の盟友である旧幕臣勝海舟の説であった。内乱のすえ韓国に西郷隆盛のごとき者が出てくるから日本はそれと手を握ればよい、それまではあの国と交渉することは無駄《むだ》だ、と勝はみていた。いわばアジアの三国同盟論である。勝のアジア論は同時代のたれよりもすぐれていたし、西郷はその勝理論の有力な賛同者のひとりだった。

もっとも勝理論からすれば、「征韓論」には飛躍がある。勝のいう、やがて韓国におこるであろうという内乱を待とうとはせず、こちらから押し掛けて行って掻きみだそうという粗暴なやり方であった。

しかし革命という乱暴な大仕事を経てきた西郷にはそれが粗暴とはおもえず、

「関東・奥羽の諸藩を攻めたようなものではないか」

という奇怪な明快さがあった。たとえば出羽庄内藩を降伏させて気持よく維新に参加させたという例があるではないか。

「韓国に対してもその流儀で刺激し、開国させて世界性をもたせ、ともに列強の侵略をふせぐ」

ということが、征韓論における西郷の「韓国の幸福」であった。

むろんそれにはその前に西郷自身が遣韓大使として渡海し、むこうの国都において殺されねばならない。それによって西郷自身も歴史的役割を完了し、すべてのかれの矛盾を解決することができるのである。西郷が征韓論に自分を賭けたのは、以上の理由による。

むろん西郷の征韓論は、抽象論ではない。具体的な活動目標としては、

「自分をどうか、遣韓大使に任命して賜《たも》らぬか」

と閣議（廟議）に働きかけることであった。働きかけるというより、嘆願であった。

「哀願泣訴」

といったほうが、実感に近い。西郷が哀願するなど、異常なことともいえる。かれは明治政府そのものをつくった男なのである。

幕末、かれは大薩摩藩の力を背景に京都で神算鬼籌《きちゆう》の革命戦略を遂行させ、ふりかえってみれば魔法ではなかったかと思われるほどに誤算がなく、あざやかに旧勢力をくつがえして新政権をつくりあげた。

この功業と言い、その圧倒的な人気と言い、かれが他の民族にうまれておなじ事をすれば革命政権の独裁者になりえたであろう。日本歴史においても、鎌倉政権における頼《より》朝《とも》や、織豊《しよくほう》政権における信長や秀吉は、十分に独裁者であった。

しかし江戸三百年の幕藩体制の行政慣習は、日本人に日本風の合議制の訓練をつけさせ、体制内にあって権力を一人に集中させることをしない、というよりもそれを極度に怖れる習慣を身につけさせた。幕府、藩、そして明治初年の太政官といったぐあいに、権力はそういういわば法人が持ち、自然人がもつということはなかった。

西郷は、そういう日本的政治慣習のなかで成立した政治家であるために、かれ個人は独裁者になろうとは夢思わず、さらに西郷一個の性格からいっても、独裁者たりうるような性格（たとえば強烈な野心、あるいは自己を魔神化しうる思いこみと権力操作、もしくは異常につよい自己顕示欲というようなもの）から、およそ対極にいたのではないかと思えるほどに遠かった。

西郷は、閣議にあっては一参議にすぎなかった。閣僚（参議）たちに頼みまわって、

「私のこの議論を、どうか理解してもらいたい」

という姿勢をとった。それ以外の姿勢をとろうともしなかった。とろうとすれば、いかに「日本的政治慣習」が存在したとはいえ、できないことではなかった。

かれは軍隊をにぎっていた。

陸軍大将・近衛都督といえば、日本の兵馬の権を一身ににぎる身である。幕末、西郷が薩摩藩という日本で第二番目（幕府を一番として）の軍事勢力を背景にして政略と戦略をたてた。それとおなじことがこの太政官時代においても西郷はできるはずであり、できるどころか、それ以上の力を明治初年の陸軍と西郷はもっていた。

が、西郷はそれを使わず、その力を意識さえせず、さらには維新成立の大功を権力化しようともおもわず、西郷個人として、

「宜敷奉希候《よろしくねがひたてまつりそろ》」

と、たとえば土佐系の板垣参議へも、平身低頭の手紙を出しているのである。その手紙は、「清国へ大使として行った副島《そえじま》参議ほどの立派な仕事はできませんが、死ぬことぐらいならできそうに思います」という悲痛な推薦嘆願状である。

西郷は、執拗に哀願した。

「どうか自分を遣韓大使に」

と、西郷はおそるべきことだが、この嘆願の成功にのみ自分の生きる道をしぼってしまったようであった。もし明治初年の西郷に「征韓論」という活路がなかったならば、かれは自殺をしないまでも、緩慢な自殺を遂げていたかもしれない。

なぜならばこの時期、西郷は肥満しすぎのために心臓の調子が良好ではなかった。征韓論以前の西郷は、

——いずれ心臓で死ぬだろう。

と、みずからをあきらめていた。西郷の革命政権への絶望やら、島津久光を象徴的存在とする旧勢力に対する罪の意識やらで、隠退と死を思っていた。医者にもかからなかった。医者にかからないというのは彼の場合、覚悟であり、緩慢な自殺行為であったといっていい。

そのおなじ西郷が、征韓論の擡頭とともに、嬉々《きき》として本郷台へゆき、ホフマン教授の診察をうけたのである。

ホフマンは西郷に、

「これ以上に肥《ふと》ってはいけません」

と注意をし、指示をあたえた。その指示は後世の医学からみても、おかしくはなかった。

「穀食とくに米はアブラになりますから、麦飯をすこしだけ摂《と》るようにして下さい。肉

類は鶏肉をおすすめします。ただしアブラ肉は避けてください」

ホフマンは、西郷に運動をすすめた。

「毎日、剣術をなさるか、角力《すもう》をおとりになるか、どちらかをおすすめします」

ホフマンはドイツの医者はたいてい健康のために剣術をやっている、と西郷にいったらしい。西郷はこれにおどろき、ドイツがヨーロッパににわかに強国になったのはそこにある、とひどく感心した。西郷が士族の没落を憂憤《ゆうふん》し、自責しているという時期だっただけに、ドイツ帝国を興したのは郷士《ユンカー》階級のこの堅牢《けんろう》な覇気である、とおもった。

――士族もしくは士族的気分を残さねば日本はほろびる。

という西郷の憂憤は、ドイツ人医師の診察をうけてもつい征韓論にむすびつくのである。

ただ西郷は少年期に生じたひじの欠陥のために剣術がしにくく、角力も相手を必要とするために、狩猟をすることにした。このころまだ駒場界隈《かいわい》に野原が多く、ウサギを追うことができた。西郷は毎日のように駒場野を駈けた。さらにホノマンがくれた緩下剤をのみ、日に五、六度も厠へ行った。

西郷が、一見人が変わったごとくに健康に気をつけはじめたのも、征韓論という一大希望を、国家と自己の人生のむこうに見出したからであった。

かれにとって征韓論は単なる政見やスローガンではなかった。

生死の問題であった。

「吉之助さァ」

と、大久保利通はむかしから西郷をそう称《よ》んでいる。西郷も年下の大久保を、「一蔵さァ」とよぶ。

生家が近所同士とはいえ互いに一ツ家で育ったような実感が双方にあり、幕末においては、たがいに手をとりあって白刃の上を素足で渡るようなきわどい革命謀略のしごとを分担してきた。幼な友達がともに手をとって歴史をうごかしたという数奇な例は、他の国の歴史にあったろうか。

幕末での西郷・大久保は、一対《いっつい》のものであった。ところが維新後、新国家建設の段階になると、たがいにこれほどちがった政治的体質をもったものもまれではないかと気づくようになった。

ごく図式的にいえば、大久保のもとに新官僚群があつまっている。西郷のもとに意気と気概のある壮士的気分の者たちが風《ふう》を慕ってあつまっていた。両人とも徒党をなすことを意図しなかったが、自然に党派ができた。

大久保が帰国した早々、西郷はしきりに大久保の家へ遊びにきた。

「一蔵さァ」

と、西郷は入ってきて、寝ころんで話したり、起きあがって出された菓子を平らげたりして、欧米の話をきいた。

西郷もときどきしゃべった。

「西洋は」

と、西郷は自分の西洋観を語った。

「西洋は遠近を攻伐しあってこんにちの盛大を築いた。武を恐れてけ国家は成り立ちませぬぞ、一蔵さァ」

と、西郷は征韓論をいうのである。

大久保はにべもなく、西郷の議論に反対した。大久保はこの点、一歩も退かなかった。

それには西郷もあきれ、

「尊王攘夷の一蔵が、ひとたび天下をとるとああも腰抜けになるものか」

と、西郷はは《ヽ》た《ヽ》の者にこぼした。一方、大久保のほうも西郷の頑質にあきれ、

——吉之助さァはああいう物わかりの悪い人ではなかった。どうかしたのではないか。

と、おもった。ただ両人の悲劇はこれが書生論ではなく、立場が立場だけに天下を二分する議論になってしまっていることだった。しかも両人は互いにその政見に命を賭けてしまっている。

大久保は、西郷のその頑質こそ国家をほろぼすものとおもった。これをなんとか阻止しようとした。仲間が帰ってくるまで公然たる政治活動をおこさなかったが、しばしば、

「西郷はこまったもの」

と、大久保は欧州留学中の薩摩人たちに書き送った。たとえば西郷の従弟で幕末には西郷の手足になって働いた大山巌《いわお》（弥助）がこのころ陸軍少将の身分をすて、一書生としてフランスに留学中だったが、大久保はこれに対し、

「国家の事は、一時的な憤発とか暴挙とかでもって愉快を唱えるようなものではありません」

と、暗に西郷のことを語っている。

大山巌の名前が出た。

砲兵研究のためにフランス留学中である。かれほど国に遺《のこ》した西郷の身の上を案じていた者はなかったであろう。

ついでながら、大山について触れておく。

大山という人物は硝煙の中からうまれてきたといっていい。

わが国で最初に鉄砲が実戦で使用されたのは諸説があるが、一説では長州藩の祖である毛利元就《もとなり》が勝者になった厳島合戦《いつくしまかっせん》（一五五五年）ともいい、その前年の天文二十三年薩摩島津氏が大隅《おおすみ》の岩剣城攻めで用いたのが最初ともいう。敵味方ともに用いた、この銃撃戦によって大山解綱というものが戦死したが、解綱が大山巌の家祖である。わが国における銃創による最初の死者ともいえるかもしれない。

大山巌の父綱昌は養子であった。近所の西郷家からきた。西郷にとっては叔父にあた

るこの綱昌は生涯役目につかず砲術の研究に没頭したという変わり者で、その死にあたって、

「自分の命日には供物も香華《こうげ》も要らない。そのかわりに煙硝を焚《た》いてくれ」

と言いのこした。墓碑には鉄砲が刻まれた。

大山はこの影響をうけたのか、早くから鉄砲に通暁《つうぎょう》していた。幕末、西郷が京にあっていずれおこるべきクーデター戦（鳥羽伏見ノ戦い）にそなえてひそかに横浜で大量の銃器を買いつけた。

その購入係が、大山であった。当時一挺の代金は十七、八両だったが、大山は外国商館と直接取引したためにわずか八、九両で買うことができた。主としてスイス人ファーヴル・ブラントの商館で買った。ブラントは明治後も長命したが、

「大山閣下のチョンマゲ姿を知っているのは、外国人では私ぐらいのものでしょう」

と自慢していた。

大山は薩摩人らしくおしゃれで、元治元年の蛤御門ノ変の段階ですでに黒ラシャ・金モール入りの軍服を着て、他藩の者をおどろかせた。会津藩の記録では、御所の唐御門付近の様子を描写し、

「この日辰《たつ》ノ刻（午前八時）……薩摩藩二名、美麗の戎装《じゅうそう》（軍装）したる者来《きた》りて、一蔵（大久保利通）と密談したり」

ということの「薩摩藩二名」は、西郷の弟の従道と大山巌のことである。

大山は戊辰戦争では終始砲隊長として従軍したが、この当時の砲兵指揮官としてはかれがもっともすぐれていたであろう。

かれの砲についての熱中ぶりは、ついに砲まで発明したほどであった。弥介（弥助）砲とよばれた。

かれは普仏戦争（明治三年・一八七〇年）の観戦武官として派遣され、ドイツ側に従軍し、メッツの大要塞《だいようさい》が陥《お》ちると、すぐその戦跡を見学した。メッツ要塞の規模の雄大さにふれてヨーロッパの底知れぬ雄強に驚嘆した。胸壁は七重で、備砲は四千余門であり、しかもこの攻防戦の惨烈さにも思うところが多かった。両軍の死傷は約十万、その死体を埋めたあとが大きな丘をなしており、埋めのこされた仏人の死体がなおあちこちに散乱し、樹木は砲火のために丸坊主になっていた。

大山巌にふれているのは、おなじ薩摩人でも、東京にいる者とフランスにいる者とがまったく別な体験をし、国家についての危機感についても別種なものをいだくにいたっているということを理解したいためである。

普仏戦争の観戦中、大山は軍服を用いず、シルクハットをかぶり、フロックコートを着ていた。

しかしかれが接したプロシアの士官は、

「オーヤマはまだ若いが、その故国にあっては陸軍の高官である」

ということで、十分礼遇してくれた。

パリ城攻撃においては、濃霧のため砲声をきくのみで実見できなかった。十余堡《よほう》もあるパリの外堡がプロシア軍の手に落ち、そのうち最大なものとされるモンバレリヤン堡を陥落二十時間のちに実見した。大砲は主として青銅製の旋条砲で、鋼鉄製のものも七門あった。ほとんどが海軍砲であった。この見学中、十余騎の護衛兵をつれた皇帝《カイゼル》に出遭《であ》った。

大山は明治五年一月九日にパリに入り、幕末以来日本の高官の定宿のようになっているグランドホテルに投宿した。

このころ大山は長州系の陸軍中将山県有朋あてに、なぜドイツが勝ちフランスが負けたかという手紙を、自分の「留学」という生活体験から書き送っている。

「プロシアは世界無双の陸軍をもっていますが、おもしろいことに、ヨーロッパのいかなる小国（たとえばスイス）の士官学校にも、プロシアは留学生を最低七、八人は送っていることです。ヨーロッパ諸国でそういうことをしないのは、フランスだけです」

と、フランスの中華思想を衝《つ》いている。

「（フランスは）自国の勇を頼みて他を知らず、つまるところ今日の敗を取る」

さらにスイス論を書き、スイスは日本の九州ほどの一小国であるが、人国の間にあって確固たる独立をとなえているのは奇とすべきである。

「なぜといへば、ただ国人（スイス人）の勉強にあり。勉強の恐るべきこと、これにて知るべきなり」

と、大山はいう。ここでいう勉強とは、国防と外交についての国を挙《あ》げての懸命さという意味であり、大山は極東の小さな母国とおもいあわせてスイスにはよほど感動したらしい。こういう大山が、対アジア戦を展開しようという征韓論に加担しなかったのは当然だったかもしれない。

大山は、鹿児島の下加治屋町という、七十余軒の集落でうまれた。大山の家は西郷の家の筋むかいの家の裏にある。大久保の家は五、六軒むこうの堤防下で、大山の家のむかいから五軒むこうに東郷平八郎という青年の家があった。東郷は少年のころ西郷の家へ毎日きて隆盛の末弟の小兵衛から素読《そどく》をならった。その東郷が、このころロンドンで海軍を学ぶために留学中で、大山がパリにきたとき、よろこびをのべた手紙を送っている。

大山にせよ東郷にせよ、みな西郷のひきたてによって人がましくなり、生涯そのつよい人格的影響をうけた者たちだったが、不幸なことに、故国の西郷の「士族的気概を残したい」という悲願が、まったく通じそうにないまでに強烈で異質な体験をヨーロッパにおいてしつつあった。

公卿《くげ》出身の三条実美《さねとみ》は一見婦人のような瓜実《うりざね》の顔をもち、小柄で撫《な》で肩で、

「左様なことはごわへんな」

というふうに、ささやくような京言葉をつかう。

政治的に物事を処理できるような能力は皆目なかったが、しかし手弱女《たおやめ》ぶりのしんがつよく、従って節操という点では幕末から維新にかけて世間で浮沈したいかなる英雄豪傑どもよりも信頼するに値する人物であった。帝室への忠誠心がつよく、容儀はいかにも端正で、会議がたとえ長時間つづこうとも崩れない。

「あれほど魚をきれいに食べる人はない」

といわれていた。かれの箸使いは玄妙なほどで、小骨のあいだの微量な肉まですくいあげてしまい、食べおわったあとをみると、まるで骨格標本のようになっていた。

幕末、宮廷をゆるがしたいわゆる過激公卿はみな下級公卿であったが、三条実美のみは家格がよく、自然その棟梁株《とうりようかぶ》に立てられた。幕末の過激公卿はほぼ長州系であった。長州人が出入りしてかれらに長州風の尊王攘夷思想を教えたが、逆に長州に都合のいいような宮廷工作の道具にもなった。文久三年（一八六三年）の政変で京から長州色が一掃されたとき、三条はいわゆる「七卿落ち」で京を去ったが、維新の成立とともに太政大臣として日本国の首相になった。

「三条さんは長州系ではないか」

という不安が、維新成立早々には、薩摩側にあったが、なんといっても三条は家柄であったし、清廉で行儀がよく、いっさい小細工をしないという、いわばその安全さが新政府の首班たるにふさわしかった。

「右大臣」

という副首相におなじ公卿出身の岩倉具視がいる。岩倉はおなじ公卿でもバクチ打ちの親分が衣冠をつけたような男で、革命期の政治が必要とする寝業芸《ねわざ》が悪達者なほどできた。しかも剛愎《ごうふく》で度胸がよく、幕末のある時期には顔色ひとつ変えずに刺客の白刃をすりぬけたことが何度かあったし、その思想も何度か変わった。若いころは佐幕的気分があり、のち薩摩藩が接触してくるとすばやく乗って倒幕の謀主のひとりになり、さらにあざやかなことは攘夷ばやりのときには攘夷であることを看板にしていたのに、幕末のぎりぎりの段階で薩摩藩から一介の使者にすぎない有馬純雄らがきて、

——攘夷は言わぬという申しあわせになりました。

というと、反問もせず、「アア左様か」と開明家に急変した人物である。

かれは薩摩系の公卿であった。ただ岩倉の泣きどころはかつて佐幕派とみられた前科があることと、家格のひくい家の出身であるということだった。このため、維新後はひたすら宮廷に信任のあつい三条実美をたて、三条の前では人もおどろくほどにうやうやしい態度をとった。

三条も、岩倉の有能を認めていたために、

「すべて岩倉サンに」

と、頼りにした。その岩倉が外遊組の代表者として渡欧、渡米し、三条は留守内閣をまもる立場になった。岩倉は大久保に結びついていたため、参議西郷隆盛としては岩倉

の帰らぬうちに三条を動かしてしまう必要があった。

この時期の西郷のふしぎさは、堂々の議論を展開するのみで、裏にまわっての権謀術数というものをまったく用いなかったことである。

「いっそ首班の三条実美卿をおどせばよいではないか」

という歯がゆさが、陸軍の近衛部隊を直接にぎっている桐野利秋にはあったにちがいない。歴史的にも公卿はつねに武家の武力のおどしに屈してきた。それをやるのは、陸軍大将を兼ねている西郷隆盛には容易であるはずだった。

さらにいえば、西郷は革命の謀略を経てきて、世の中を回転させる裏面工作の手の内は百も承知の男であった。

しかしそれらを一切やらなかったのは、西郷という革命家の性格を考える上で興味がある。考えてみると西郷は幕末においても倒幕勢力の大櫓《おおやぐら》の上にのぼり、白昼公然と政略戦略をすすめた男で、たとえば宮廷工作のような陰湿な策謀はすべて相棒の大久保利通が担当した。さらに島津久光にとり入り、これをだまして薩摩藩を倒幕勢力たらしめた仕事も大久保のやったことであった。幕末の煮つまった段階での宮廷工作という陰謀についても大久保が公卿の岩倉と密議をかさねて遂行した。その密議の内容はついに歴史のなぞにまでなっている。

「あの時期、大久保と私（岩倉）が謀議した事どもは、事が済んだこんにちなお、とうてい余人には洩《も》らせぬほどのものだ」

と、岩倉は晩年語っている。孝明天皇毒殺事件といううわさが、明治後も、こんにちでさえ消えることなくささやかれているのは、この間の機微を物語っている。孝明帝は強烈な佐幕家であった。さらにはもっとも頑固な攘夷家であった。この帝が帝でありつづけていれば、徳川家と会津藩があの時期、一朝にして時代の悪役に転落することはなかったし、鳥羽伏見ノ戦いがたとえおこっていても薩長が官軍になる可能性はなかった。が、突如帝が崩御《ほうぎょ》した。そのため政局は大転換しえたのだが、その政変のふしぎさを解く安易なかぎとして、毒殺説がうわさされ、流布された。ひとつには、岩倉・大久保というコンビのやり方の秘儀めかしさが世間にそういう想像を生ませたのであろう。

西郷という政略家は、そういう類《たぐい》の仕事には参加していなかった。かれほどおのれの人格とおのれの正義を信じている者はなく、しかも正義の表現（政略）は白昼公然たるものでなければならないと信じきっている男であった。

このため、西郷は対三条の工作をしなかった。

「三条卿にもわかって頂けるはずである」

という態度でつらぬいた。

三条実美は、西郷の心事はよくわかっていた。しかしそれ以上に大久保や、いずれ外遊から帰ってくるはずの岩倉や木戸の意向をおそれた。

三条実美に対しては、一度、大隈重信がごく私《ひそ》かな形式で訪問し、「そのあたりまで参りましたので」決して政談するつもりできたのではない、と弁解しつつ、茶を馳走《ちそう》してもらったことがある。京都の茶菓子が二切れ出た。糒《ほしい》を蒸して練りかためたような菓子で、味がカステラに似ていた。

「これはカステラでございますか」

と、若いころに長崎にいた大隈はきいた。三条はじっと大隈を見つめていたが、やがて、

「松風どす」

と、小声でいった。松風というのは古くから京にある菓子である。

大隈は、山県有朋の話題を出した。

山県は長州の足軽だった男で、奇兵隊に入り藩内の動乱のなかにあって着実に地歩を築き、明治後いきなり陸軍中将になった。旧藩時代は藩内の革命陣営に属していたくせに石橋をたたいて渡るような用心ぶかいたちで、たとえば故高杉晋作のような天馬空をゆくような男を兄貴株に頂いていながら、高杉の高等数学的発想にひきずられることなく、いつもそのそばで足し算の算盤《そろばん》しかやらず、つねに高杉に対して堅実なブレーキの役目をはたした。

維新後、同藩の大村益次郎が兵部大輔《ひょうぶだゆう》になって山県はその下風に立ったが、大村が暗殺されるにおよんで陸軍の長州閥は山県がにぎった。

大隈は山県に会ってかれに算盤をはじかせると、

「征韓論には反対しないが、実際面で困難である」

という回答が出た。

山県陸軍中将は大村の陸軍構想を継承する立場にある。国防軍を創設することである。もし大村が生きていれば、東京に駐在している近衛軍（都督は西郷）などはあれは軍隊ではなく革命軍の遺物にすぎないというであろう。

近衛軍はなるほど官軍の名残《なご》りで、薩長土三藩の士族から成っている。明治政府が明治四年夏、廃藩置県という一大変革を断行するにあたって各地の内乱を予想し、いったん戊辰戦争後に解散した三藩の官軍をふたたび東京にあつめて乱に備えた。ところが廃藩置県がうまく行った以上、無用の存在になっている。

「むしろ将来、西郷の私兵に化するのではないか」

と、西郷ぎらいの大村なら露骨にそういったにちがいない。

近衛軍とは別個に、全国に徴兵制を基礎にした鎮台《ちんだい》が置かれつつあるのである。明治四年に東京と大阪などに鎮台が置かれ、明治六年には、東京、仙台、名古屋、大阪、広島、熊本の六鎮台がおかれた。これがのち師団になる。鎮台こそ近代的国防軍の雛《ひな》といっていいであろう。一方、桐野少将らが所属している「近衛」というのは国防軍というよりも、革命軍の名残りでいわば新構想外の軍隊というべきもので、さらにいえば軍服をきた志士団とさえいってよく、新国家の基礎が固まって国軍が成立すれば無用有害の存在になるべきものであった。

長州の山県有朋も、陸軍の一つの柱である。

「私は征韓論に反対ではない」

という顔をしていながら、行動にはあらわさず、もっともずるい態度を持していた。

明治初年の軍制は、長州の大村益次郎が草創した。大村は明治二年暗殺されるまで軍政面の独裁権をにぎっていた。統帥《とうすい》のほうは唯一人の陸軍大将である薩摩の西郷隆盛がにぎり、陸軍は二本建になっていた。

大村の死後、軍政面の後継者に山県がなった。もしかれが大村のような明快な論理性と正直さをもっていれば、

「近衛軍を解散する」

とやったに相違ない。さらに、

「桐野ら近衛将校は政治亡者である」

と断定したにちがいなかった。

近衛軍というのは「国防軍」ではないのである。薩摩っぽと、長州奇兵隊の生き残りと、土佐っぽの集まりで、いわば一人々々が志士気取りの政治的人間の集団であった。しかも戊辰戦争を戦いぬいて新政府は自分たちが作ったという、軍人にとってきわめて危険な自負心をもっていた。そのくせ徴兵で採った六個鎮台の兵のような近代的教練も

ろくに出来ておらず、それだけでなく、鎮台の兵隊たちを見おろして「百姓兵になにができるか」と蔑視《べっし》していた。

いま建設されつつある「鎮台」こそ国防軍であり、大村の理想であり、山県はその建設代表なのである。

たしかに山県はその立場から、大隈に対し、征韓論についての疑問を表明していた。

山県はいう。

「いま征韓という外征をやれば、せっかく基礎ができたばかりの軍制に大混乱がおこる」

たしかに大混乱がおこる。士族軍である近衛軍がまず出征して野戦における栄光を担《にな》えば、徴兵制による鎮台はどうにもならない。なにしろ鎮台はできたばかりで、兵の訓練は未熟であった。だけでなく、百姓どもに戦士として通用するだけの精神的伝統ができていないため国防軍たるべき鎮台は野戦で大きなみそをつけるに相違ないのである。

――となるとやはり士族軍だ。

と、鼎《かなえ》の軽重を問われることになり、せっかくの国防軍が成立早々に瓦解するかもしれなかった。もっともそれが士族擁護派である桐野利秋らの思う壺《つぼ》であるかもしれない。

とすれば、鎮台代表の山県は近衛軍の征韓論に真っ向から反対すべきであった。しかしなかった。そのアイマイさが、山県という、どういうきらびやかな理想ももたない男が晩年明治官僚の法王的存在になり、大きくは日本官僚の大宗になって公爵・大勲位という栄爵にかざられて生涯を終えるにいたるこつのようなものであった。

いまひとつ、山県ほど政治好きな男が、征韓論について沈黙の立場をとったのは、かれがかつて汚職事件に連座したときに西郷に救われたという恩義があったからでもある。山県はおよそ気質的に西郷となんの似通うところもないくせに生涯西郷を景慕したのは、この一事による。

大隈重信は、

「山県は信頼できます」

という意味のことを、内閣首班（太政大臣）の三条実美にいったのである。

「おなじ陸軍でも桐野とはちがい、かれの考えは堅実だからです」

という意味であった。

つまり陸軍が二種類ある。

「壮士・志士あがりの近衛軍」

「徴兵制による国防軍である鎮台」

桐野が前者を代表しているのに対し、山県は後者を代表していた。前者は大隈のような近代主義的な国権確立論者からみれば魑魅魍魎《ちみもうりよう》の集団としかおもえない。魑とは山の神で、顔はトラである。魅とは沢の神で、顔はイノシシである。いずれにせよ幕末という革命時代だけに通用したバケモノどもで、新国家建設の邪魔にこそなれ、なんの役にも立たない。

明治国家が正統の国軍にしようとしているのが全国に六つ置く鎮台であった。この派である山県だけが、大隈にすれば人間の顔をもっている。

「西郷翁のごときは、ああいう桐野の上に乗っかっているのですから」

バケモノの親分だ、と大隈は思っている。

「征韓論は妖説にすぎません」

と、大隈は三条にいった。

これを聞き、あれを聞き、真ン中に立つ三条実美は、まったく窮し、困《こう》じはててしまった。

（いったいどうすればよいのか）

と、この時期の三条実美はほとんど神経病患者のようになっていた。三条は、たぐいまれな廉潔《れんけつ》さと誠実さをもっていたが、しかしそういう個人的な美徳だけではこの二つの政論の激突を裁《さば》けるはずがない。

西郷派から三条に対する入説《にゅうぜい》もひんぱんである。

はたして朝鮮に兵を入れることは可能であるか。

という純軍事的課題についても、近衛軍のほうはよく調査していた。

朝鮮事情をさぐるために軍事探偵を朝鮮および満州さらには清国にも派遣していたのである。

実地調査のお膳立《ぜんだて》は、薩摩士族のなかでもっともアジアへの関心のつよかった池上四郎（西南ノ役で戦歿）がやった。薩摩系の近衛軍人だけをやらせれば専断のそしりをうけるということで、土佐系の近衛軍人をもゆかせた。

土佐の北村長兵衛は近衛の中佐である。戊辰ノ役では砲隊長をつとめ、やがて夭折《ようせつ》するが軍人としての資質はゆたかであった。

この北村中佐が、桐野利秋のイトコである別府《べっぷ》晋介《しんすけ》少佐と組んで朝鮮へゆき、池上自身は土佐系の武市熊吉大尉と組んで上海《シャンハイ》、営口をへて南満州に入って視察した。

「数千の軍隊を派遣するだけで片がつく」

という報告が、三条実美の耳に入っているのである。そんな簡単にゆくものかどうか、三条にはわからない。

三条実美は、大隈の影響が濃い。

若いころの大隈重信というのは、まだ一度も外遊したことがないが外国のうごきについてはじつに豊富な情報をもっていた。その情報源は雑多で、大蔵省や外務省の傭《やとい》外国人であることもあれば、英国その他の公館員からきくこともあり、

——大体、地球の情勢はこうなっている。

という国際情勢の把握についてはほとんど天才とでもいうほかない才能をもっていた。

「列強が、朝鮮に対して虎視《こし》眈々《たんたん》として侵略の機会をうかがっている」

ということを知っており、そのことは何度も三条実美の耳にも入れてある。
——朝鮮人はたいしたことはない。それよりも列強がこわい。日本がもし兵を送って朝鮮の寸土でも租借すれば列強はそれを嫉《そね》み、朝鮮の側に味方し、日本を武力で討ち、それを理由にして朝鮮を盗《と》ってしまうにちがいない。朝鮮が外国領になれば、日本の国防はじつにあやうくなる。

とみていた。

ほぼ大隈の見込みどおりであった。

朝鮮にキリスト教が入ったのは、日本の寛政三年（一七九一年）、十一代将軍家斉《いえなり》のときである。実際の伝道にあたったのはフランスのジェスィットの僧たちで、当時フランスは大革命の進行中であった。

朝鮮の政府はこれをよろこばず、陰に陽に弾圧したが、その政府の態度に憤慨した洗礼名アレキサンドル・ワンという信徒は一八〇一年、フランス国王に書を送り、

「五、六万の軍隊と軍艦を派遣して韓国を占領してほしい」

と嘆願した。ワンはよほど変わった男らしい。

当時フランスはナポレオンを指導者とする一大膨張《ぼうちょう》運動の時期にあって、極東にまでその武威は伝わっていた。ところが当のナポレオンはヨーロッパでの攻伐にいそがしく、一韓国人の可憐《かれん》なファンレターを実現してやれる余裕はなかった。

日本の天保十年（一八三九年）、韓国政府は一大弾圧を断行し、カトリック信者を捜

索して逮捕した。

その翌年、清国に対して英国がアヘン戦争をおこした。

当時フランスは「七月王政」の時代で、相場師王といわれるルイ・フィリップのもとに産業革命の真っ只中にあり、世界に市場を獲得しなければならなかった。その国家的要請によって一八四二年アヘン戦争に便乗し軍艦二隻を韓国に派遣して強圧を加えようとしたが、かんじんのアヘン戦争が終了したため退去した。

その後、あらゆる強国から、国家を代表する軍艦に乗って来韓する者、単に冒険的野心のために来る者など相次ぎ、この半島国家の沿岸は騒然となった。

そのうちフランスはもっとも執拗だった。一八六六年（慶応二年）、フランスは清国政府に対し、

「フランスは韓国を征伐してキリスト教徒を保護する」

と申し入れ、その黙認の確約を得、艦隊を送って一時は軍隊を漢城（現ソウル）付近にまで接近させた。

日本の明治期に入って、韓国（朝鮮）に対してもっともつよい関心を示したのは、日本よりもむしろ米国である。のち米国が手をひき、北方のロシアがこれに代わる。

ただし西郷の征韓論のこの時期は、ロシアがむしろおだやかで、米国のほうが強硬であった。

「江華島」

という島が京畿《けいき》湾の湾口にあり、首都漢城の海上の防禦《ぼうぎょ》点ともいうべき要地である。一八六六年にはフランス艦隊が一時この島を占領してこの地にあった多数の書籍をもち去った。韓国はその後この島の砲台を強化し、外敵にそなえていた。

ゆらい、米国人の外交的思考は複雑をよろこばず、直接的行動を好んでいる。たとえば鎖国時代の日本に対し、列国はさまざまな外交手段を弄《ろう》して国を開かせようとしたが、結局日本を根底からゆさぶったのは、ペリーの東洋艦隊による武力示威であった。

韓国に対してもそうであった。

明治四年五月三十日、京畿湾外にいたらしめたのは、六隻よりなる艦隊である。北京公使フレデリック・ローが坐乗《ざじょう》していた。六月二日さらに江華島砲台の下まで達したとき朝鮮側の砲台がにわかに火を噴《ふ》き、米国艦隊も応戦し、陸戦隊を上陸させて激烈な戦闘がおこなわれたが、結局は米国側の敗退におわった。

これより前《さき》、ユダヤ系ドイツ人オッペルトを首領とする強奪団まで韓国に上陸している。

一団はヨーロッパ人八人のほかにマニラや上海で傭《やと》ったアジア人が百二十人という人数で、資金は米国人から出ていたという。かれらはわずか六十トンの小蒸気船に乗り、一八六八年（慶応四年・明治元年）四月、上海港を出発した。この強奪団の道案内人はかつて韓国布教にたずさわったことのあるフランス人の宣教師だった。かれらは忠清南道の海浜に上陸し、内陸に入り、スコップをもって王陵をあばいた。

おそらく王陵のなかの金銀財宝を盗むつもりだったにちがいない。かれらは陵の土をはねのけた。ところがなかから巨大な石蓋《せきがい》が露出し、人夫を動員してこれを持ちあげようとしたが不可能であった。ただそれだけのことでかれらの〝事業〟が挫折《ざせつ》し、おどろき騒いでいる韓国人たちをしりめに退去した。

この発掘中、そのあたりの韓国人は遠巻きにしてただざわぐのみで、この連中の行動をやめさせることができなかった。

なぜならば、この連中は手に手に銃器をもっていたからである。

李氏朝鮮の体制は徹底的な中央集権制で、徳川日本の封建制のように大名も武士もいない。人民は刀剣をふくめいっさいの武器をもつことがゆるされなかった。

体制としては、奈良時代の日本とやや似ている。軍隊は政府軍のみだが、それも体質は警察軍といった程度で、数もわずかであった。列強からみれば道ばたに落ちている宝石のようにみえたにちがいない。

十九世紀、ヨーロッパの勢力がアジアに侵入してくる場合、ちょうど海岸にくだける波濤《はとう》が岩壁を浸食する場合のように、まず軟質の部分を侵し、硬質の部分はあとまわしにするか、もしくは軽微な浸食にとどめた。

硬質というのをかりに、国家と国民が成立しているくにをさすとする。この定義でい

えば、アジアでは日本だけが明治維新によって近代的な意味での国家と国民を成立せしめた。さらに端的にいえば、

「国民が成立している地帯には侵略はなかった」

ということがいえる。

ペリー来航以来、尊王攘夷運動から出発した明治維新の目的はあくまでも外敵から日本地域をまもるためのみのもので、それ以外の、たとえば人民の権利を確立したり、しようとするような社会革命を目的としたものなどではなかった。それら「それ以外のもの」は明治維新が成立したあと、国民の成立後に当然おこる第二次運動として付随してきたものであるにすぎない。要するに明治維新の目的は、国民を成立せしめて産業革命の潮流に乗った欧米の侵略に耐えうる国家をつくることであった。

日本はこれによって硬質の地帯になった。

他のアジアの諸地域で硬軟の種別わけをあえてしてみると、東南アジアではタイ国が地理的条件のよさと、歴史的に国民意識が潜在的にあったためにやや硬質であった。このためタイ国はマライから侵入してくる英国の勢力と安南（ベトナム）から圧迫してくるフランスの勢力に対し、この時期きわどいながらも独立を保ちえている。

東南アジアの他の地域にはそれぞれ王朝は存在していたが国民が成立していないために侵略にはもろかった。東アジアでは中国がそうであった。愛新覚羅《あいしんかくら》氏の王朝はたしかに存在しているが、国民はまだ成立しておらず、侵略に対してはきわめて軟質であった。

朝鮮はどうであろう。

李王朝が、この時期まで四百八十年という長期にわたってつづいている。体制は中国の儒教体制をとり、中国に対して従属の礼をとっていた。李氏が王朝をひらくとき、明国に乞《こ》うて国号を「朝鮮」ときめてもらったことだけでも、両国の従属関係ははっきりしている。

となれば、宗主国の中国が軟質である以上、朝鮮も軟質であった。しかし国土がせまいだけに対外的な反応が鋭敏で、従って単に儒教体制下では「蒼生《そうせい》」であるにすぎない人民が、やがて国民へ変質することは容易であるかもしれず、あるいはその可能性は宗主国の中国よりも濃厚に潜在していたかもしれない。

朝鮮は軟質なのか、それとも硬質であるのかということは、列強にとってなぞであった。このため各国とも武力外交でもって小当りにあたってみた。ところが李王朝の攘夷精神とその断行能力は日本のかつての幕府よりもはるかに旺盛《おうせい》で、その意味ではひどく硬質な外観をもっていたのである。

この当時、佐賀出身の副島種臣《そえじまたねおみ》が外務卿に任じ、遣清《けんしん》全権大使として北京に使いしていた。

西郷が、みずから遣韓大使を買って出たとき、土佐の板垣に対する手紙のなかで、

「副島君の如《ごと》き立派の使節は出来申さず候《さうら》へども、死するくらゐの事は相調《ととの》ひ申すべき

か」

と書いた副島である。西郷は維新の顕官のなかで副島を別格としてひどく尊敬し、薩摩人とのあいだで副島の話題が出ると、

「副島先生」

と、辞色をあらためて語るほどであった。

副島は容貌古朴《こぼく》で、機略を愛さずひたすらに政治における誠実を信じ、人柄が高雅なうえに、シナ学の学殖と詩文の才においては古来副島に匹敵する者は菅原道真《みちざね》ぐらいのものだろうといわれていた。

しかし西郷と同様、官僚的実務にはあかるくなく、しかも西郷と同様そういう世界に手を汚そうとはせず、ただ世界の趨勢《すうせい》をみて一国の経綸《けいりん》だけを考えているという種類の政治家に属していた。

この種の経綸家は、日本政府は西郷と副島のほかは所有していなかった。かれらは吏務にこそ長じなかったが、しかし外交の難にあたらせれば吏僚型の者の遠く及ばない大仕事をすることができた。西郷はそれを望んでついに失落するが、副島はそれをやって西郷のいう「立派の使節」をはたした。

副島は明治六年三月清国にむかい、李鴻章《りこうしょう》と交渉をかさねつつ北京で皇帝に拝謁《はいえつ》した。それまで欧米列強の北京駐在公使たちはひとりとして皇帝に拝謁する機会をもつことができなかった。中国の東洋的尊大さによるものだったが、副島は中国の高官とそのこ

とを論じ、かれらを論破したのである。

「閣下、漢籍を読む、何ぞ淵博《えんぱく》なる」

と李鴻章がおもわず副島の手をとって感嘆したほどに副島のシナ学は本場の中国高官よりも淵博であった。副島が皇帝への拝謁を要請したとき、中国が、

「皇帝が外臣に謁を賜わるという先例がない」

とことわったのに対し、副島は、

「そういうことはない。『尚書』舜典《しゅんてん》に、四門ニ賓《ひん》スレバ四門穆々《ぼくぼく》タリ、とある。堯舜以来きまっていることではないか」

といって先例主義の中国官僚を大いに狼狽させ、結局は中国の外交史上空前の実例がひらかれることになった。

副島はその滞在中、下僚をつかってさまざまな下交渉をさせていた。

副島の任務の重大な項目のなかに朝鮮のことがあった。副島は朝鮮の尊大さをやぶって国交をひらくには多少の兵力をつかうもやむをえまいという西郷流儀の征韓論者であり、その征韓論の主張においては西郷よりも早く、いわば先唱者であった。ただ副島は外務卿であったためにそのための外交上の根まわしをしておかなければならなかった。

副島は、征韓論の実行が可能であるかどうかの探究を北京においておこなったのである。

——李氏朝鮮は独立国なのか。

というのが、世界中の疑問であった。

清国の属国である、とみる見方が一般におこなわれていたし、事実、朝鮮自体がそのように匂わせてもいた。李氏朝鮮がかつては明国を宗主国とし、清朝成立後もその国家姿勢は変わらない。李氏朝鮮としては清国に隷属しているほうが自国の安全に有利であったのである。

副島は清国に駐在している英仏および米国の公使と接触し、

——清国と朝鮮の関係をどうみるか。

ということについて意見をきいた。

副島は英国公使に対し、

「朝鮮がなおも頑愚をつのらせる場合、日本としては兵力を用いることもありうるという仮定もここで考えうるが、その仮定について英国の意見はどうか」

という趣旨のことを質問してみた。英国公使はこれについてはいっさい拒否的な色はみせなかった。

副島は米国公使に対しては、さきに米国が朝鮮に公使と軍艦を送った経験について質問した。

——あのとき、宗主国である清国は抗議しなかったか。

ということである。

米国公使は副島にいわせれば「忠実」な人物であった。同公使は、

「清国からはいっさい抗議が出なかった」

と正直に話しただけでなく、米国があの威力外交をおこなうにあたって清国にあらかじめ問いあわせをし、その覚書もとってある、といって一通の公文書を副島に見せてくれた。

「朝鮮は清国の属国である」

と、その文書に書かれている。「しかし」と、その文書はいう。

「朝鮮は自主の国であり、一切の政教や禁令はみな朝鮮自身がこれをおこなない、清国は干渉したことがない」

（これで安心した）

と、征韓論の主唱者であった副島はおもった。たとえ強力な対韓外交をおこなっても清国は苦情をもちださないであろうことがほぼ明らかになった。つまり、日本が朝鮮を刺激しても、清国がその宗主国として日本の前に立ちふさがるという危険はまずない、とみていい。

ただし日本が侵略戦を朝鮮に仕掛ける場合となれば、この覚書はなんの効きめももたないであろうということまで副島が考えた形跡はない。

おそらくそうなれば清国は自力で朝鮮防衛の兵を送るか、それとも英仏米露に説いてその兵力を借り、日本軍をたたきつぶそうとするにちがいない。が、副島はその予測に

ついてはいっさい公言しなかった。

西郷の征韓論は、この副島の外交成果が基礎のひとつになっている。西郷も副島と同様、もし日本が朝鮮を侵略すれば清国および欧米がだまっていないだろうというもっとも健康な想像については、わざと想像の窓をみずからふさいでいる気配があった。

太政大臣三条実美は、元来がきまじめな性分だけに、この征韓論が廟議にかけられてこのかた、いたいたしいほどに痩せてしまった。

京都あたりからひまな公卿がよく訪ねてくる。客たちが三条のやつれようにおどろくと、

「例の朝鮮の議がござるでな」

と、にこりともせずに答えるのが常だった。

「朝鮮の議」

それが、この公卿あがりの宰相をなやました。

源頼朝の鎌倉幕府の成立以来、公卿が政権をはなれてひさしい。

幕末の尊王思想の流行期になると、にわかに公卿の存在が脚光をあび、志士たちがあらそって公卿のなかでの聡明な者をえらんでかつごうとした。三条は単に尊王攘夷の思想の徒であったにすぎず、政治好きでもなんでもなかったが、長州系の志士にかつがれ、その後幕末における長州藩の苛烈な運命のなかに漂い、維新成立とともに大かつがれに

かつがれて新国家の首相というようなとほうもない位置についた。

「みながよろしゅうやってくれるやろ」

というのが三条の期待であり、げんに維新後、やつぎばやにやってきた版籍奉還や廃藩置県といったふうの大きな内政面問題についてはたしかにみながよろしくやってくれたし、三条はただ衣冠を正してその上にのっかっていればよかったのである。

ところが征韓論という外政問題がおこるにおよんで、そうはいかなくなった。なぜならば参議の意見が割れてしまい、この留守内閣が分裂している上に、外遊組という、三条実美にとって本来与党性のつよい「内閣」が海外にありながら征韓論に反対の気分を濃厚にしている。

三条実美としては、うまれてはじめて自分の責任において国家の方向を決定しなければならないところに追いこまれているのである。

征韓論は、厳密には外政問題ではない。

内政問題であった。

日本の政治が、こと外政問題になると内政が分裂するという奇妙な体質をもつにいたるのは幕末においてその体質の基礎ができ、維新後のこの征韓論問題においてその体質が牢固《ろうこ》たるものになる。

三条のもとには、反征韓論者の大久保利通を背景とする入説がひんぱんにおこなわれていた。三条は西郷に従うわけにもゆかず、無為に日をすごした。

征韓論が廟議に上ったのは、明治六年六月十二日である。

それっきりであった。

あとは廟議がなかなか再開されず、その政局停頓《ていとん》の理由として三条実美は、

「清国に使いしている副島外務卿が戻ってから」

とし、副島が帰朝すると、こんどは「なにぶん猛暑のおりでもあり」という理由をあげて遷延《せんえん》した。


明治六年七月の暑気はものすごかった。

「暑いために廟議をしばらく休みます」

という三条実美のいかにも公卿らしい言いわけがもっともにきこえるほどの暑気であった。

西郷は相変わらずホフマン教授の指示どおりに健康管理につとめ、服薬により下痢をくりかえす一方、猟をして体の運動量を多くし、米食を避け、できるだけ痩せようとしていた。

この人物の生涯を間歇《かんけつ》的に襲っている厭世《えんせい》的な絶望感は、この時期にはふしぎになかった。かれが自分で健康維持のために努力をしたのはこのときが最初であり、一見、この風情《ふぜい》は西郷らしくもなかった。

しかしかれは、下痢をし、猟をし、米食を避けるというこの健康療法をつづけている

ことによって、維新後かれをとらえてはなさなかった厭世的絶望感から解放されていたのである。

西郷という、この日本的美質を結晶させたという点でほとんど奇跡的な人格をもつ男は、青春のころからつねによりよき死場所をもとめて歩きつづけてきた。死ぬために生きているという一見滑稽であるかもしれないこの欲求は、たとえ滑稽であるにせよその場所をはずしては西郷そのものが存在しなくなるのである。

江戸期の武士という、ナマな人間というより多分に抽象性に富んだ人格をつくりあげている要素のひとつは禅であった。禅はこの世を仮宅であると見、生命をふくめてすべての現象はまぼろしにすぎず、かといってニヒリズムは野狐禅《やこぜん》であり、宇宙の真如《しんによ》に参加することによってのみ真の人間になるということを教えた。

この日本的に理解された禅のほかに、日本的に理解された儒教とくに朱子学が江戸期の武士をつくった。朱子学によって江戸期の武士は志《こころざし》というものを知った。朱子学が江戸期の武士に教えたことは端的にいえば人生の大事は志であるということ以外になかったかもしれない。志とは、経世の志のことである。世のためにのみ自分の生命を用い、たとえ肉体がくだかれても悔いがない、というもので、禅から得た仮宅思想と儒教から得た志の思想が、両要素ともきわめて単純化されて江戸期の武士という像をつくりあげた。

西郷は思春期をすぎたころから懸命に自己教育をしてこの二つの要素をもって自分の

人格をつくろうとし、幕末の激動期のなかにあってそれを完成させた。

西郷は維新の成立によって経世の志を遂げえた。このため志が、方向をうしなった。維新後はすべてまぼろしというべつの要素がかれをとらえ、死と隠遁を想《おも》う例の厭世観のなかに浸っていたが、しかしいま登場した征韓論によってふたたびかれの志が復活した。かれは厭世観からすくわれ、かれの生命と肉体を投ずべき方向があきらかになった。

かれがその死の方向にむかって、躍如として健康療法に熱中しはじめたのは、右の理由が背景になっている。

ところが、かんじんの国家方針が、三条実美の優柔不断によって決まらないのである。

西郷はたまりかねた。

(三条公に膝詰《ひざづ》めの談判をしてみよう)

と、この男はおもった。

かれはこの旨、板垣退助へ連絡し、

「私があなたを訪ねてゆきます。その足で三条公のお屋敷へご同道ねがえませぬか」

と、依頼した。

このあたりに、西郷の悲痛さがある。かれは生存者としては維新の功をただ一人で背負いうる立場にありながら、あくまで個人としての嘆願者の立場をとろうとした。それも一人でゆかず、土佐派の首領である板垣退助について行ってもらうという少女のようにひ弱げな姿勢をとった。もし西郷が他の民族にうまれてよく似た立場にあれば、かれは近衛軍を指揮して太政官を占拠し、剣をもって三条実美を追って国論の統一をはかることもできたにちがいない。

板垣はむろん快諾した。

日は、八月三日ということにきめた。

ところでその前夜になって、西郷は数十度の下痢をくりかえして起きあがれなくなった。かれがドイツ人医師からもらっていた痩せるための下剤をあまりに多く服用したため、下痢がとまらなくなったのである。

「数十度の瀉《くだ》し方にて、はなはだもつて疲労いたし候《さうらふ》につき」

と、板垣には手紙でことわり、三条に対してはとりあえず書面で自分の意をのべようとした。

この朝、西郷は疲れきった体を机の前へ運び、三条実美への長い手紙を書いた。念のためその写しを一通とり、板垣に対してとどけさせた。

三条実美は朝食をすませたころ、

「西郷大将が参られました」

と取次ぎが廊下を駈けてきたので、小柄な体に夏の紋服をつけて書院へ出た。

が、これは取次ぎの錯覚で、西郷のかわりに手紙が一通とどいていただけであった。

「西郷大将はご病中であるとのことでございます」

と、取次ぎが、西郷の使者の口上を言上した。

三条は、手紙をひらいた。

冒頭から入念に読むうちに顔色がしだいに冴《さ》えなくなった。律義《りちぎ》なこの公卿はさらにくりかえして読んだ。読みつつ息が細くなり、ときに溜《た》めた息を一時に吐きだし、いかにも苦しげであった。

西郷は、廟議の評決をさいそくしている。

その文中、

「名分条理を正すということは討幕の根元であり、御一新の基でありました。いまにして右の筋を相正さずということになりましては、あの討幕はまったく物好きの討幕だったということに相成ります」

という言葉がある。

三条も、宮廷から長州や太宰府に追われてなお討幕の素志をつらぬきとおした公卿であり、この言葉はかれには痛烈にこたえた。

しかし三条はこのおそるべき嘆願書に返事を書くほどの勇気はなかった。

三条実美にすれば、

――なぜ西郷はいそぐのか。

という不満もある。

「外遊組が帰るまで待ちましょう」

と、三条は繰りかえしいっているのに、西郷はそういうばかなことはない、我等は一国の留守をあずかっているというのにこの西郷を遣韓大使に派遣するという程度のことさえ決める権限もないのか、といってきかないのである。

そのうえ、西郷からこの催促状がきた。

三条が返事を出さなかったのは、ひとつには返事という重大な政治行為を単独でとりおこなうだけの勇気がなかったからでもあったが、ひとつには、

「なんど言えば西郷にわかるのか」

というばかばかしさもある。この手紙は八月三日にきた。外遊組の首班である岩倉具視は九月なかばに帰ってくるのである。待てといっても長い期間ではなかった。

もっとも外遊組は、帰りはばらばらになってもどってくる。大久保利通が、五月二十六日に単身帰国して休養中であることはすでにのべた。帰国後大久保がまだ出張中ということを理由にして庁に出ず、屋敷にひきこもっていることもすでに触れた。

ひきつづき七月二十三日、長州派の頭目である木戸孝允《たかよし》も帰国したが、かれはヨーロッパ観察の意見書を太政官に提出し、静養した。

「静養」

である。大久保も静養している。静養は公認の行為であった。なぜならばこの暑中、太政官は「夏季休暇」ということになっているからである。太政官に夏季休暇を設けさ

せたのは、静養中の大久保のさしがねであった。

要するにこの時期、

「太政官は夏季休暇中」

という札をかかげさせることによって大久保は太政官の会議室のドアにカギをかけさせ、それによって政局のうごくことを止め、具体的には西郷ら征韓派の政策案が上程されることをふせいだのである。

この点、大久保のやり方は徹底している。

（すべて岩倉大使がもどってからのことだ。それまで沈黙がもっともよい）

沈黙も、大久保にとって巨大な政治行為であったであろう。大久保は沈黙を徹底させるために、東京を離れようとした。東京にいては人が訪ねてくる。もし会えば多少の意見をのべねばならぬかもしれず、意見をのべればそれが拡大されて世間にきこえ、西郷ら征韓派を無用に刺激せぬともかぎらない。

大久保は、東京を去った。

かれは八月十六日に東京を発《た》ち、箱根で温泉につかり、富士山にのぼった。

さらに西へゆき、近畿地方の名勝旧跡を見てまわった。近江を見、大和を歩いた。和泉、紀州をも歩き、温泉につかったり、鉄砲猟をしたりした。

かれは東京での征韓派の争鳴ぶりがきこえぬふうであり、おどろくべきことに岩倉具視が帰国した九月十三日にもなお東京に帰らず、九月二十一日になってようやく新橋駅

（この前年新橋—横浜間に鉄道が開通した）に降りたのである。

この間、薩摩に対する長州の頭目である木戸孝允にふれておかねばならない。

「頭目」

といったが、語弊がある。厳密には長州人の集団というのは薩摩人集団とちがい、頭目を戴《いただ》くということを習慣としてもっていない。幕末、長州藩を牛耳《ぎゅうじ》った革命集団は書生のあつまりであった。かれらの師匠は死せる吉田松陰で、死者だけに頭目としての統制力はもっていない。長州の革命秩序は、せいぜい兄貴株の存在をゆるす程度であった。この兄貴株が、すでに亡《な》い高杉晋作と、明治後まで生きて元勲になった当時の桂小五郎、いまの木戸孝允である。

木戸がもし薩摩にうまれておれば悠揚《ゆうよう》たる親分の風格を身につけたにちがいないが、長州人集団ではそういう型の人間を許容せず、書生気分を維持することを必要とするふんいきがあった。

木戸は、あくまでも書生気質《かたぎ》を維持している。

このあたりが滑稽で、木戸は本来の性格からいえば非書生的であり、つまれついてのオトナという面が濃厚であった。たとえば血気に逸《はや》らず、言論に断定を用いず、いかなる場合も逃げ道を考え、行動は慎重で、考えぬいた上でなお行動しないことが多かった。いわば、性格としては長者の資質があり、頭目にもなりうる。しかし現実の木戸はそういう形態をとらず、書生でありつづけている。

それにひきかえ、

――西郷《せご》さァのためなら命を投げだす。

と薩摩兵児《へこ》たちをしてそう思わしめている西郷隆盛は、形態としては頭目であった。その本質は頭のてっぺんからつまさきまでオトナでなく書生であるという、木戸とは逆の矛盾をもっている。西郷は木戸とはちがい、自分自身の言動において保身の逃げ道を考えず、つねに体腔に濃厚な血気を湛《たた》え、物事を熟慮しぬくかわりにいったん決断すれば骨がささらになってでも往《ゆ》くというところがあった。さらに西郷の本質が書生である点は、元来他人への好悪がつよく、他人の奸邪《かんじゃ》を憎むところがはなはだしく、その意味では巨大な子供であるというところであった。しかもなおふしぎなことに西郷は形態としては一大頭目なのである。

となると、この両者の食い違いは、それぞれが属している集団が生みあげたものとしか言いようがない。

薩摩人集団は本来、頭目を欲する。西郷はそのために頭目としての人格をみずからの修養でつくりあげた。

長州人集団は頭目を欲しない。

本来、木戸は頭目にふさわしい性格のアイマイさをもつくせに、やむなく自己を書生であろうと規定し、長州のなかにあってせいぜい兄貴分としての位置を見出し、その位置にふさわしい自己をつくりあげてしまっている。

兄貴分というのは、後輩に対してときに責任をとってやらず、ときに小姑《こじゅうとめ》的な意地悪さをもつが、伊藤博文などが木戸の小姑性をきらい、薩摩の親分型の大久保の傘下に投じたことでもそのことがわかる。

木戸孝允の「書生」であるところのよさは、かれは明治六年七月二十三日外遊から帰国すると、すぐさま（四日後に）報告書を提出したことである。その態度は元勲という尊大なものではなく、留学生がレポートを出すような律義さであったといっていい。

かれは中背ながらよくひきしまった体をもち、洋服のよく似合う男であった。

幕末においてもかれは長州藩の在京高官としてつねにのし目の立った絹服を用い、両刀のこしらえなども雅趣に富み、さらには言葉づかいが上品で眉目《びもく》が涼やかで一見貴公子のようであったために芸妓たちによくさわがれた。もっともかれ自身、自分の容姿に自信をもっていたらしく、幕末、写真をとることを好み、しかも写真をとるときはかならず独特のポーズをとった。

木戸は七月二十七日午前十時、赤坂御所に参内して明治帝に帰国の旨を奏上した。そのあと太政官に出て三条実美らにあいさつをし、退出して大久保の屋敷を訪《おとの》うた。

「不在でございます」

と、玄関に出てきた大久保夫人満寿《ます》がそういった。

「ああそうですか」

木戸の訪問は義理である。あっさりきびすをかえして門を出てしまった。不在のほうがよかった。木戸はもともと薩人ぎらいだったが、外遊中、大久保と行を共にしていて、決定的に大久保という男を嫌うようになった。木戸の欠点である嫉妬《しっと》心《しん》が原因らしい。

(権柄《けんぺい》ずくな、いやなやつだ)

という、理由は感情的なものであった。木戸は他人と同座していればこまかく気を遣うが、大久保にはその感覚がとぼしく、木戸が大久保に気をつかって愛想よくふるまうことがあっても、大久保は冷然として(癖なのだが)木で鼻をくくったような態度を示したりした。

(大久保はけしからぬ)

と、この日もおもった。

たとえば、大久保が木戸よりもさきに帰国しているくせに一枚の報告書も出していないことも、木戸の腹だちのひとつだった。

木戸の場合、丹念に書いたものを、太政官に提出しているのである。

(大久保はやはり役人あがりだ)

と、木戸は思った。木戸の分類では自分は志士あがりだが、大久保は薩摩藩の藩官僚あがりで、

(だから実務には堪能《たんのう》かもしれないが、憂国の情にとぼしい。報告書を出さないという

のも彼の元来の肌合《はだあい》なのである）
　そのように解釈した。
　木戸にいわせれば欧州を一巡すれば日本の貧相さがもはや滅亡寸前というぐあいに感じられてきて居ても立ってもいられなくなる。自然、どうすれば日本国家は興隆するかというプランも湧《わ》き、矢もたてもたまらぬ気持になって報告書を書く。それが志士の情というものだ、ということなのである。

　長州の木戸孝允は、変に淋《さび》しさを帯びた男だった。

　かれはこの帰国後ほどなく土佐の山内容堂から深川の「平清《ひらせい》」に招待された。

「木戸参議公、貴公は陰気じゃのう」

　と、かつては土佐二十四万石の太守だった山内容堂が、上座から杯をあたえつつからかった。容堂は文字どおり詩酒の人で、妓《ぎ》をからかいつつ大酒を飲み、ときに詩をつくる。詩は江戸期の大名のなかでかれに及ぶ者はなかったかもしれない。

　廃藩置県で世間の表むきから大名というものが消滅してしまっているが、東京の花柳界では、

「土州様」

　といえばたいそうな権勢であった。

　容堂は陽気な酒をこのんだ。ところが新帰朝の木戸孝允はヨーロッパの話をせず、酒

がすこしまわるとひどく陰気になってきて、

「殿はなぜ武市半平太をお殺しになりました」

と、いった。幕末、土佐における代表的勤王家で長州と仲のよかった武市半平太を、幕末の一時期長州の勢力が衰えたとき、土佐藩ではにわかに牢《ろう》にほうりこみ、裁判にかけて切腹させてしまったのである。もし武市がいまの世にいれば木戸にとっていい相談相手になってくれたはずだが、いまの土佐系の参議以下大官たちはみな陽気な薩摩人がすきで、政治的なうごきで長州系と同調するという傾向がなくなってしまった。

容堂にとってこれほど不愉快な話題はないはずだが、しかし豪気世を蓋《おお》うつもりでいる山内容堂は顔色も変えず、

「半平太めは藩法をあやまったきにきれいに自裁させた。いつの世でも法を犯す者は罰せられる。政治が法をひきずって世の中が保てるか」

と言いきったために木戸はひるみ、あとはその話題を出さなかった。

じつをいうと木戸がヨーロッパで得た収穫はそれだったのである。報告書にもかれはそのことのみを書いた。憲法を絶対のものとして上にいただき、法律をもって人民を守り、世の中を律してゆく以外に日本国の将来はないという単純ながら明快な国家論である。

——人民に政治参加の権利をあたえねばならない。

と、木戸はヨーロッパ諸国をめぐり、いわば国家見学をして心からおもった。かれは

漸進思想ながら民権論者になった。木戸の民権論は、維新国家をつくりあげた当の一人であるだけに、のちに流行現象のようにして満天下にむらがり出てくる民権論や民権論者にともすればつきまとう浮薄さがなかった。かれにおける明治国家は西郷の場合と同様、かれ自身が腹をいためて出産した実子のような肉体的実感をもつ嬰児《えいじ》であり、その嬰児の将来をどうすればよいかという点で、この男は全存在を賭けた切実さをもっている。

木戸は滞欧中、いわゆる列強文明の壮麗さを見、その実感をいちいち日記に書いた。木戸がこの日、山内容堂に語った内容は、その日記の摘要のようなものである。たとえばかれがパリの下水道を見学したのは、この年（明治六年）の一月十六日である。日記の文章を直訳すると、

「その趣向の妙、その規模の宏大《こうだい》さ、おどろくべきものである。地中に一道をひらき、鉄筒をもって清水を縦横に引き、かつ伝信（電信）の線もみなこの道中にあり。下は下水にして、あたかも河のごとし。その左右に道あり、あるいは車をやり、あるいは舟を浮かべ、世界の一奇観である」

木戸は、朝九時にホテルを出て午後四時半にホテルに帰っている。「この日胸痛あり」という健康状態のなかでじつに熱心に見学した。夕食後、午後六時に大久保とともにホテルを出、午後八時半にホテルに帰っている。この間、両人は、

「一店に至る」

つまり、酒場へ立ち寄った。

ベルリンではグランドホテルにとまった。翌々日木戸のいう禽獣園《きんじゅうえん》（動物園）を見た。大きなオリのなかに熱帯産の美しい鳥をみつつ、

「時山直八にみせてやりたかったな」

と、同行の品川弥二郎にいった。時山は木戸や品川にとって松下村塾以来の仲で、戊辰の北越戦争のとき戦死した。時山は鳥がすきで、ウズラなどを飼っていたのを、木戸は不意におもいだしたのである。木戸は、西郷もそうであったように、幕末から戊辰にかけて非業にたおれた盟友の亡魂をわすれることができず、明治の天日を仰いでも往事を想うと現在がうその時間のようにおもわれてならない。

木戸らは、皇帝《カイゼル》に拝謁した。宮殿とホテルのあいだを壮麗な馬車が往復した。

皇帝に拝謁して数日のち、有名なビスマルクに招待された。

正式の宴がおわったあと、ビスマルクは岩倉、大久保、木戸、そして伊藤博文らを別室に請《しょう》じ入れ、大いに語った。

ビスマルクは大風呂敷をひろげた。

「余は小国にうまれた」

と、ビスマルクはドイツを小国として規定している。

「余が少年のころはプロシアはじつに貧弱な国であった。長じて余は列強の暴慢を知る

におよび、怒りをおぼえた。たとえば国際公法というものがあってもそれは列強の都合で存在するものであり、自国に都合のいいときには国際公法をふりまわし、自国に都合がわるくなると兵力を用いる。小国はじつにあわれである。国際公法の条文を懸命に研究し、他国に害をあたえることなく自国の権利を保全しようとするけれども、列強というものは破るときには容赦なく破る」

ビスマルクは、小国であったドイツこそ日本の手本であると言いたいのであろう。

小さな国

――国際公法は小国を守ってはくれない。
――小国はあわれなものだ。
――大国はつねに武力解決しようとする。

と、ビスマルクは岩倉、大久保、木戸らに説く。

木戸孝允はこのとき幕末におけるかれの盟友のひとりだった土佐の坂本竜馬をおもいだしたであろう。

木戸は当時坂本にさんざん聴かされたことだが、坂本は万国公法（国際公法）の信者であった。

坂本は列強が東洋侵略をするという危機意識のなかからかれの国家設計を成立させた。

かれは日本が粟粒《あわつぶ》のように弱小であると規定し、この日本の独立を維持するには貿易以外にないとみた。かれは、船舶は領土の延長であるという国際公法の規定をよんで狂喜した。となれば多数の船舶をもてば領土の狭小は憂えるに足らず、ということになるではないか。さらにその船舶をもって世界の物産を往来せしめれば自分に物産のないことも憂えるに足らずと坂本はおもった。

日本はその国家を防衛するための武力がひどく弱い、と坂本は冷静に考えようとした。そのためにかれは国家の方途を見出すのに苦しんだが、国際公法を発見するにおよんで、

「文明とはこれだ」

と大いによろこび、国際公法が小国をまもってくれるのだと信じた。かれは長崎でかれがつくった海援隊でこの国際公法を翻訳出版しようとさえしたが、京都で幕府の見廻《みまわり》組《ぐみ》に斃《たお》され、国際公法の信者であるままに永眠した。

ビスマルクが国際公法の限界について論じたのは、木戸らの随員が、それを質問したからである。坂本の信仰が、志士あがりの連中たちのあいだでなお生きていたといっていい。

「小国がその自主の権利をまもろうとすれば、孜々《しし》としてその実力を培《つちか》う以外にない」

と、ビスマルクはいう。

岩倉、大久保、木戸らは、英国やフランスでビスマルクへの悪評をさんざんきいていた。その鉄血外交の悪評である。

「この努力のおかげで近年になってわがプロシアはやっと列強のあなどりを受けることなく独立自主の姿勢がとれるようになった。わが少年のころと思いあわせるとじつに感慨のふかいことである」

とビスマルクがいうのは、彼自身の自画自賛のきらいがないでもない。

「しかしわが国は」

と、ビスマルクはいう。近年、武力を四方に用いたために他国を侵略する国だ、という悪評をうけた。それは大いなる誤解で、ただゲルマン国の国権を保全せんがためのみ、とかれはいう。さらにかれは、

「侵略国とは英仏のことである。かれらは海外に植民地をむさぼり、しきりに強奪政策をおこなっている。わがゲルマン国は海外への野望はいっさいもたない」

といった。

ビスマルクの官邸における招宴でもっとも感動をうけたのは、薩摩の大久保利通と長州の伊藤博文のふたりであった。

(日本のような小国でも、こんにちのドイツ国のように列強に伍《ご》しうる)

という可能性、というよりそういう奇術を、奇術師であるビスマルク自身がたねあかししてくれたのである。もっとも「列強に伍す」というのは語弊があるかもしれない。大久保も伊藤も日本をもっとひ弱にみていて、列強に伍するというような、いわば大そ

れた期待よりも、せいぜいシナのように列強から蚕食《さんしょく》される状態にならない国家を設計できれば十分であった。ひるがえって余談をいえば、大久保も伊藤も太平洋戦争をおこすような強国としての日本を想定したことがなく、伊藤にいたっては日露戦争でさえその開戦に反対し、日本の滅亡という悪い卦《け》をのみ想像しつづけた。

大久保はビスマルクに会っただけでなく、その前に参謀総長のモルトケにも会っている。

「大先生」

という言葉を、大久保はこの両人について使っているのである。かれはビスマルクに会った夜、ホテルにもどって昂奮去らず、故国の西郷あてに手紙を書いた。この時期、西郷の征韓論は大久保の耳に入っておらず、大久保にとって西郷はこの世だけでなくあの世までも一緒にゆきたい莫逆《ばくぎゃく》の盟友であった。

「ドイツは欧州の他の国とは異なり、淳朴《じゅんぼく》の風があります。ことに有名なビスマロク、モロトケなどの大先生が輩出し、おのずからこの国に思いを属《しょく》したいという気持であります」

と、今後の日本が参考とすべき標本をドイツにみたという熱狂的感想であった。英仏のような大きな植民地をもつ大国はとても参考にならないが、ドイツは植民地もなく、国内の生活文化も質実で、物産の生産量も英仏にくらべれば低く、士民はまだ封建的な実直さを多分に残している。日本といかにも似ているではないか。

ドイツ国内のビスマルクへの信任度は高く、

「であるからドイツ国家の外交政略はすべてこの人の方寸から出ている」

と、大久保はいう。大久保はこの「信任」をかちとって日本国改造のすべての権柄をにぎりたいと勃然《ぼつぜん》と志したし、げんにその権柄をにぎるための方向が、帰国後の大久保の動きでもあった。大久保は日本国におけるビスマルクを志したのである。

「東洋のビスマルク」

とみずから称するようになったのは、維新の元勲が世を去ったあとの伊藤博文である。明治帝までが、

「卿《けい》は東洋のビスマルクを志しているそうな」

とからかったというから、伊藤はたれかれなしにこの希望をもらしていたらしい。

これに対して木戸孝允はビスマルクにさほどの感動はもたなかった。かれ自身、ビスマルク流の奇術的な外交政略がやれるがらではなかったからであろう。

木戸は大久保より聡明であろう。

しかし木戸が大久保にくらべて政治家としての実力を欠くのは、かれはつねに物事を悲観的に見がちであるという点であった。

欧州観察の結果を、木戸は山内容堂に話した。

容堂は聴き上手で、

「ふむ、左様《さよう》か」

とか、

「なるほど、さもあろうか」

などと、変にふかぶかとした相槌《あいづち》を打つのである。そのくせ上体が揺れるほどに容堂は酔っている。

木戸は、新興プロシア国がいかにすばらしいかとか、あれはビスマルク一個がなしとげた奇跡である、などといったような陽気なはなしはいっさい容堂にはしなかった。

「ポーランドは悲惨でした」

と、木戸がその亡国の状を語りはじめたときは、そばにいる芸妓がおもわず貰《もら》い泣きして、

「そんな可哀そうな話、ないじゃありませんか」

と叫んでしまったほどだった。内容より木戸の言葉調子についひきこまれたのに相違ない。

木戸はベルリンを発《た》つとき、単独であった。大久保がベルリンから直接帰国の途についたのに対し、木戸は、

「自分だけはロシアをまわる」

と異を立て、そのとおりにしたのである。このころ木戸は大久保の顔をみるのも不愉快で、口もきいていない。岩倉に対しても愉快でなく、また木戸の弟分であったはずの

伊藤博文に対してもその軽薄さがたまらなくいやになっていた。このため木戸はひとのとめるのもきかず、ロシアまわりの単独帰国を思い立ったのである。

車中、木戸には数人の随行員はいたが、しかし木戸は毛布にくるまってひどく孤独な表情をしていた。ある朝、座席で端然とねむっていると、ひどく悲しげな笛の音がきこえてきて、ねむりを破られた。

汽車はいつのまにか停車場にとまっていた。立ちあがってガラス窓をあけ、プラットホームの左右をみると、プロシアの活気は失《う》せ、蕭条《しょうじょう》たる風景である。

「ポーランドです」

と、随行の者がいった。

木戸は概説程度のポーランド知識をもっていた。この国はかつては栄えたということを木戸は知っている。その後、政治が腐敗し、貴族は国益を顧《かえり》みずに派閥争いにあけくれ、セイム（ポーランドの国会）の議員は平気で貴族や大地主に買収されたりして、ついにロシアとプロシアおよびオーストリアに国土が分けどりされてしまうというはめになった、ということはやや詳細に知っていた。

「金をお恵みください。神様の恩寵《おんちょう》があなたの上にありますように」

と言いつつ列車のなかに一見将軍風の老ポーランド人が、銭を乞うてまわった。木戸はあわてて内ポケットから小銭をつかみ出してあたえた。老人が去ったあと、随員たちは木戸が両眼に涙を溜めているのをみた。

「駅にとまるごとに乞食《こつじき》が入ってきました。卑しき物腰ではありましたが、しかしどの老人も容貌に気品があり、ときにかつては大名であったかと思われる人物もいました」

と、木戸は悵然《ちょうぜん》として言い、やがて杯をおろして容堂を見つめた。

「日本もポーランドになれば、容堂公もさしずめ新橋駅頭で乞食をなさらねばならぬでしょう」

「わしはその前に腹を切るさ」

「容堂公を乞食せしめない政治が必要です」

「わしはその前に腹を切ると言っておるよ」

「失礼ながら容堂公が御腹を召したところで何の足しにもなりませぬ」

「君は苦労性だ」

と容堂がからかうと、木戸はやや色を作《な》し、いまの日本の廟堂において苦労性でない者がいればそれは国賊でしょう、日本国は断崖《だんがい》の上に立っています、ポーランド国へあるいは失落するかもしれませぬ、といった。

——なぜポーランドが亡国になったか。

ということを木戸は説いた。

このことは木戸が帰国するなり上呈した報告書にもくわしく書いているところである。

いまここでは木戸の文章を借りる。

「……公侯豪族、或《あるひ》は私利を営み、或は公道を矯《た》め、相争ひ、相軋《きし》り、殆《ほと》んど無政の邦《くに》と為《な》り、生民の困厄言ふに堪《た》ふべからず」

以下、直訳する。

「国を挙《あ》げて蜂起し、公侯に怨《うら》みをなげつけ、豪族に復讐《ふくしゅう》をなし、国中騒ぎにさわぎ、その騒ぎがついに国境を接するロシア、プロシア、オーストリアにまで波及しようとしたため、三国は軍隊をポーランドに入れ、分割した」

木戸が、のちに西郷が西南に拠《よ》って反乱をおこしたとき、すぐさまおもったのはポーランド亡国の状である。

（日本も西郷によってポーランドになりはてるか）

とおもい、明治政府に対しては木戸なりの深刻な批判をもちつつも、しかも西郷の反政府騒乱を理解しようとしなかったのは、木戸の特徴ともいうべき病的危機意識という痛点があったからであった。木戸はこの痛点を通してしか西郷の反乱を見ず、かといって大久保が主宰する明治政府の独裁ぶりや大官の横暴などに不満で、つねに参議の顕職をすてて野にくだろうとする衝動をおさえかねていた。

「ポーランドがほろんだ原因の底の底を討《たず》ねればただ一つに帰します」

と、木戸はいう。

「国家に憲法がなく、人民に権利がなかったからです」

と、木戸は明治十年代の政治青年——自由民権論者——が流行としてそう言い騒いだ言葉を、自由民権運動のケムリも立っていないこの明治六年においてすでに言っているのである。

木戸は憲法について、

「政規」

という言葉をつかっている。西洋流の憲法という言葉はまだ日本語として成立していなかった。

「政規は万機の根本たれば」

と、いう。根本であるがゆえに、民法、刑法、商法など「一切の根葉」はことごとくここから出てここにもどる、というのである。

木戸がその報告書において筆をつくしていっているのはこの「政規」のことと、これを動かす官吏の精神についてである。木戸は官吏が私利私欲をむさぼるというもっとも危険なことについてはすこしも憂えていない。幸い、日本は江戸中期以後に各藩単位で清吏の風が確立し、清国や李氏朝鮮のように官僚体制そのものがどう仕様もない汚職体制であるというアジア的形態からまぬがれており、木戸にとっては日本の官吏が汚職するなどは思いもよらぬことであったらしい。

ただ官吏の独善に走って民意を汲《く》みあやまることは国家を紊《みだ》すもとである、という。官吏は「政規」と「典則」(民法、刑法など)のよき体現者でなければならないという法治主義を説き、法治主義がすなわち文明であるという。

木戸のいうところはやがては議会制度にもってゆかねばならないが、それまでは政府の聡明な指導力をもって人民を教育し、かれらの品位を参政権を得しめるまで高めてゆく、というのである。

この意見書のなかで、木戸は暗に大久保利通らしき存在を目して、

「国歩の運厄、もつて累卵《るいらん》の危きを招くべし」

と、痛烈な警報を発している。

大久保らしい存在というのは、木戸の表現を借りれば、

「ひたすら功名を企望し、要路の一局に拠りて威権を偏持し」

ということになる。木戸はすでに外遊中において大久保が内務省を設立して自分がその卿になろうとしているプランを知っていた。

内務省がいかにおそるべき機能であるかということは、木戸には十分想像できた。内務省は各地方知事を指揮するという点で、その卿たる者は事実上日本の内政をにぎってしまうということになる。知事は地方警察をにぎっている。従って内務卿は知事を通して日本中の人民に捕縄《ほじよう》をかけることもできるのである。さらに内務卿の直轄機構のなかに、川路利良が研究している警視庁が入っている。警視庁は東京の治安に任ずるだけでなく、政治警察の機能ももち、もし内務卿にしてその気になれば、同僚の参議たちをも検束して牢にたたきこむこともできるのである。

「要路の一局」

とは、その内務省のことであった。

木戸の大久保ぎらいはこの報告書にまで出ており、かれの生涯は大久保独裁の明治政権への消極的抵抗で終止する。西郷のような男性的反乱は木戸によれば「ポーランドの如き亡国をまねく」わけであり、木戸が、西南ノ乱において東京にも鹿児島にも応援しなかったのは、右のような思想と立場による。


木戸は多分に意見だけの人であった。

幕末以来、つねにどういう場合でも木戸は意見を持つべく努力してきた。かれは漢文についての平均的な読解力はあったが、しかしほとんど書物を読まず、多くの人から意見をきき、耳学問でもってその時務論を形成してきた。

木戸の時務論というのは幕末の革命家時代においてさえ奇矯偏頗《へんぱ》なところがなかったというのが、気味がわるいほどである。つねに重心の安定があり、

「桂（木戸）にカタビキ無し」

と仲間からいわれ、かえってそれが過激書生の多かったころの幕末長州においてよろこばれたりした。かれら書生たちにすれば、兄貴株の木戸が重心の安定度のいい考え方を持続していればこそ、安心してかれらが重心の安定をうしなった矯激な意見を吐いたり行動したりしたといったふうな形跡さえあった。

日常生活でも、木戸はそうである。

「あなたの奥さんも困ったものですな」

と、ひとが忠告したことがある。

木戸の夫人は、幕末、幾松という妓名で才気をうたわれた京の名妓であり、木戸の危機を幾度か救ったという逸話が革命神話のひとつになっているほどのひとである。維新後、正夫人になり、木戸が明治十年、数えで四十五歳で病死すると、すぐ髪を切って翠香院と号し、孤閨《こけい》を守って九年後に死んだ。木戸とは九つちがいだから、木戸と同年で死んだことになる。当時のモラルでは貞女というべき婦人だが、しかしその趣味生活は参議夫人にふさわしくなく、芸妓のころと同様、役者をひいきにし、役者買いをしたという噂《うわさ》まであり、そのことをある同郷人が目に余る乱行とみて木戸に告げ、注意をうながしたのである。

ところが木戸は腹も立てず、かといって洒脱《しゃだつ》に笑いとばしもせず、眉にしわをよせ、こまりきった表情をしてしばらくだまっていたが、やがて、

「わしなればこそ、あの女の亭主がつとまるのだ。わしでなければ、手綱《たづな》の切れた駻馬《かんば》同然で、どこへ飛んでゆくかわからない」

と、いった。木戸はつねに大困りの憂鬱屋であったが、そういう包容力もあった。木戸の本質は多分に意見の人にすぎなかった。ただかれの意見に長者の風があったことは、これは一つの根から出ているとみていい。

もっとも木戸はときどき変なことをいう。かれは幕末ではいうまでもなく尊王家であったが、明治四年のある時期ではにわかにフランス風の共和国家を考えるようになった。しかし明治六年七月に帰朝すると、もとの君主国家論にもどっている。

朝鮮問題でもそうであった。明治二年に一時征韓論をとなえてひとびとを驚かせたことがあるが、すぐ復元し、内治論にもどった。木戸の復元力のよさは、かれの重心感覚のよさと関係がある。

「西郷をたずねたい」

と、木戸は帰朝後しきりにいっていたが、西郷が病気療養をしているというので遠慮をしていた。しかし西郷から使いがくるにおよんで、ついに訪ねることにした。

木戸について、

――その意見にはつねに長者の風があった。

とのべたが、しかし多くの革命家がそうであるように、この感情量の多い人物が、性格としての長者の寛大さをもっているはずがなかった。感情量の多いかれは当然怨恨の量も多かった。しかも、執拗であった。

「西郷は奸物で、許すべからざる人物である」

と、西郷びいきの薩摩人がきけば飛びあがって憤慨しそうな対西郷感情を木戸は、傷あとのふさがらぬ古傷のように終生もちつづけていた。

木戸の西郷と薩摩藩への悪感情は、「八月十六日ノ政変」といわれている、文久三年（一八六三年）夏に京都でおこった革命政界の変動のときから根ざしている。それまで長州藩は薩摩藩を友好藩であるとおもっていた。ところが一夜にわかに薩摩藩は佐幕派の会津藩と手をにぎり、一挙に長州人と長州をパトロンとする公卿たち（三条実美ら）を宮門から追いだし、翌元治元年夏には武力で京都に入ろうとした長州軍を、会津藩などとともに防ぎ、押しかえし、さんざんに破ったのである。このときの薩摩軍の指揮官は西郷隆盛で、蛤《はまぐり》御門のなかまで突入してきた長州の勇将来島《きじま》又兵衛を射殺したのは、西郷麾《き》下《か》の川路利良の隊であった。

木戸は、これを恨みにおもっている。

「西郷ほど肚《はら》の黒い男はない」

とおもうようになった。

慶応二年（一八六六年）正月に、有名な「薩長連合」が結ばれた。土佐の坂本竜馬が両者をとりもって秘密攻守同盟をむすばせたのだが、木戸は当時坂本から内談があったときも、最初は尻込みした。

「薩摩の人間とは、とても約束はできない」

といった。理由は右の事件の怨恨による。坂本が道理を説いてついに木戸を説得したのは、坂本の雄弁によるというよりも、長州が幕府から攻められてほとんど衰滅の危機にあったからである。攻守同盟は長州の死活にとって救いの手でもあった。

木戸は変装し、坂本と同道して京都に潜入して西郷と対面し、ついに同盟を結んだのだが、会談が同盟の一件に入る前に、木戸はかつて薩摩藩が長州藩に対していかに肚黒い裏切りをなしたかということを、顔色を青黒くさせつつしつこく西郷に言いつづけた。その執拗さは、そばにいた者を不愉快にさせてしまうほどだったが、西郷は怒らず、まるで柿泥棒《かき》でもして近所の口やかましい老人から説諭されている子供のようにうなだれ、終始木戸の話をきき、

「いちいち、ごもっともなこっごわす」

と、一言の弁解もしなかった。

文久・元治の長州人は、すでに集団思考が過熱し、政治の現実から遊離してしまい、そのため政治的にも軍事的にも敗北したのだが、この時期の木戸は長州人のその過激ぶりに対して内々こまったことだとおもっていた。しかしその敗北が薩摩の裏切りによって出来《しゅったい》したことについては許さなかった。維新後、ほとんどの長州人がこの怨恨をわすれたのに木戸だけは持続し、この帰朝後、西郷の寓居を訪ねるにあたってもそのことを思いつづけていた。

昨夜、雨がふった。

この朝、まだ雨気が残っているらしく変にむし暑かった。

(西郷も酔狂な。こんなへんぴな所に住んでいるとは)

と、木戸は渋谷金王《こんのう》の片田舎まできてあきれるおもいだった。

木戸が馬車を降りたのは、いまの国電渋谷駅付近であったであろう。このあたりの大半は百姓地で、田畑に陽炎《かげろう》がもえている。あちこちの雑木林にもやが立ち、金王八幡の葉桜の樹林だけが陽《ひ》にかがやいていきいきしていた。ところどころに旧大名の下屋敷が残っているが、維新後まだ六年というのに屋根に草がはえ、塀の崩れがめだっている。

西郷の弟の従道が、そういう下屋敷のひとつを買いとって住んでいるのである。

西郷は保養ということもあって、このところその従道の屋敷で厄介になっていた。この従道屋敷なら、駒場野まで行って狩りをするにも便利だし、それに身のまわりの世話をしてくれる女手も足りている。

木戸は、襟《カラー》が汗でよれよれになったまま、従道家の玄関に立った。

「頼み申す」

と、大声でよばわると、書生か女中でも出てくるのかとおもったところ、意外にも西郷隆盛自身が出てきた。西郷は待っていたらしく、その証拠にきちんと紋服に袴《はかま》をつけ、ふとい首すじから汗をながしていた。

座敷に通されてたがいにあいさつしたあと、西郷は木戸に懇願するように、

「このような大汗でござる。木戸先生、その洋羽織をぬいで賜《たも》らんか。拙者にこの装束をぬがせてくだされ」

と、いった。

木戸は苦笑して上衣をぬいだ。西郷は救われたように羽織をぬぎ、

「このほうも御免こうむります」

と一礼し、袴もぬいだ。西郷にとって夏ほどつらい季節はないのである。

この日、木戸は西郷に対し、征韓論はよろしからず、内治専念こそ日本国家のためなるべし、と説くつもりであったが、西郷ぎらいの木戸といえども西郷と面とむかいあうと一種駘蕩《たいとう》たる気分になり、話をどう切りだしてよいか当惑した。

「ヨーロッパは、どげごあした」

とでも西郷がいってくれればよいのだが、西郷はそういうことよりもこのさきの駒場野がいかに鳥獣が豊富で鉄砲猟にむいているかということばかり話すのである。

木戸は、いらいらした。

ついに木戸は、

「議会制度を布《し》かなければ文明とはいえない」

という、後年になって澎湃《ほうはい》としておこる自由民権論のハシリのようなことをいって、西郷の厚い肉質部に探り針を入れてみた。

ところが西郷は大いにうなずいたのである。

西郷の思想というのは輪郭は鮮明でないが、よほど半径の大きいものであり、たいていの新思想はそのなかに包摂されてしまうようなところがあった。

かれは天を敬し人を愛するという言葉で自分の思想を表現し、それに適《かな》うことならす

べてうけ容《い》れようとするところがあった。その西郷の思想でいえば民衆が成長するに従って民衆が政治をするというのは当然なことであって、木戸は出端《でばな》をくじかれた思いを持った。


「結局は戦争になるのではないか」

と、木戸はそういう意味のことを征韓論について言うと、西郷はかぶりをふった。

「戦《ゆっ》さにならぬようならぬように持ってゆきます」

というのである。世上伝えられている西郷の意見とは、一見違うようであった。

西郷は、薩摩人の常として片言隻句《へんげんせっく》しか口に出さない。これがつねに誤解のもとになった。たとえばかれは征韓論ぎらいの大久保利通を評して、

「一蔵（大久保）は戦さをこわがる」

と、臆病よばわりしたことがあるが、この言葉に関するかぎり西郷は好戦家といわれても仕方がない。げんに閣内ではすでに西郷が好戦家であるという悪評までこの時期できていたし、その悪評は西郷の耳にも入っていた。

西郷の思想は、日本、中国、韓国（朝鮮）という東アジア三国の攻守同盟の成立にある。

ところが日本はまがりなりにも明治維新によって国家と国民が成立しているが、中国も韓国も王朝があるだけで、その国柄はヨーロッパでいう近代国家の概念とはややちが

っている。その王朝と官僚が、いわゆるアジア的な腐敗現象のなかにあって国政担当の能力を欠いてしまっていることも西郷はよく知っていた。

「まず韓国に一大刺激をあたえねばならない」

というのが、西郷の論である。

自分が遣韓大使として韓都にゆくことにより、あたかも幕末の日本でそれがおこったように韓国でも在野意見が大いに沸騰し、西郷の意見に反撃するにせよ賛成するにせよ、国論が形成される。幕末でさえ尊王攘夷の国論を無視できずついに幕府が倒れたように国論の形成によって結局政権が変質し、国民というものがはじめて成立する、と西郷は考えている。

ついでながら国民の成立は西郷の明治維新の理想であった。国民が成立しなければ幕末以来の大課題である国家防衛などとてもできないと西郷は考えていたし、それが、維新によってともかくも国民を成立せしめる基礎だけはできた。要するに西郷は国民の成立が理想であった。であればこそ西郷は、木戸が提示した「憲法をもち、議会で国家をうごかしてゆく」という民権論的意見にも意外がらず、即座に賛成したのである。

（韓国に、いずれそれができるだろう）

と、西郷は考えていた。

西郷のいわゆる「征韓論」はこの角度においてはかれの明治維新という革命を輸出しようとする動機の表現であったといえるであろう。革命を成功せしめた指導者が、その革命を他国に輸出したがるのはフランス革命においても後年のロシア革命においてもほとんど生理的といえるほどに揆《き》を一にしている。

西郷は、韓都へ行って命を張ることによって韓国内における革命を誘発し、その意図を列強に知らしめることによって列強の武力介入を避けうると考えていたようである。

昼食には薩摩汁が出た。

薩摩汁には豚肉が用いられる場合が多いが、木戸がひざの前にある大きな椀《わん》を持ちあげると、若鶏の肉が入っていた。

「鶏が入っておりますな」

と木戸がいうと、

「薩摩じゃ、鶏は野菜《やせ》ごわす」

西郷は椀の中に指を入れて骨つきの鶏肉をとりだした。木戸がみていると、西郷はじつに可愛げにその骨片を口に入れて巧みにしゃぶるのである。若鶏が骨つきのままぶったぎりにされてみそで煮こまれている。ほかに大根、コンニャク、ネギなどが入っていた。

「節食なされていると聞いておりましたが」

「ハイ、節食しております。そいどん、肉は脂肪《あぶら》になり申《も》さんそうで。医者がそう申します。五穀は存外人を肥やすと申しますので、米も麦も断《た》っております」

「ははァ、米も麦も」

と木戸は意味なくつぶやきながら、箸につまんだ鶏肉を口中でもてあましていた。いっそ西郷のように手づかみで齧《かじ》りつけばいいのだが、この行儀のいい長州人にはそれができかねるらしい。

「もう、寿命もなにも要《い》り申《も》さぬが、韓都での仕事を終えるまではなんとかこの五体を養っておかねばとおもい、医者どんの忠告は入念に守っております」

と西郷が、なにげなく「寿命」ということばをつかったとき、木戸の心情は、藤の花が風に小波《さざなみ》立つように微妙にゆれた。

「寿命――」

と、つぶやき、椀の中のみそ汁をすすった。

木戸も、健康が良好ではなかった。

外遊中も体が熱っぽく、宙をさまよっているようなおぼつかない日がつづいたが、帰国してからも異様に肩が凝り、毎朝おきあがることがひどくつらく、

（自分もながくないのではないか）

と、おもうようになっていた。

（――西郷もそうか）

とおもうとき、薩長両閥の意識を離れ、西郷への好悪の感情を離れ、このひろい世の中で西郷と自分とのみが共感しうる共通の過去を感動的に想うのである。

（西郷と自分がもっとも古い）

という実感であった。古いとは、ペリー来航以後からの志士歴のことであり、多くの志士は幕末において非業に斃れ、生き残っている古株といえば西郷と自分しかいないという実感が木戸にある。木戸は薩摩の大久保を志士としては認めていなかった。大久保は単に薩摩藩の藩官僚であっただけで、単身生死の巷《ちまた》を彷徨《ほうこう》したことがない。

「お互い、生きすぎたかもしれませぬな」

と木戸がいったが、木戸は一八三三年うまれだからこの年は満で四十、西郷は一八二七年うまれでこの年は満で四十六である。しかし尋常の年齢感覚はかれらに通用せず、木戸としては現在の自分はもはや大仕事を仕果たした脱殻《ぬけがら》であるとおもっていたし、西郷が自分の人生に感じている感想も、まったくおなじであった。

木戸にとって、辞去してから腹立たしく思ったのは、この西郷との三時間ばかりの対面で、木戸は思うことが言えなかったことである。

「おれはだめだ」

と、木戸のこの多分に女性的性格では、そのようには思えないのである。相手の西郷がよろしくない、とおもった。

（西郷はこまった男だ。もっとも昔からああであったが）

と、馬車の上でおもった。

　昔から木戸が攻撃と怨嗟《えんさ》に満ちた口調で喋りはじめると、西郷はたちまち巨大な軟体動物に化したように部屋中にひろがり、どこを突いてもふにゃふにゃの感じで反応がにぶく、そのくせ一種の威圧感を木戸にあたえ、木戸は舌ばかりが空転して言いたいことの十分の一も言えないのである。

　もっとも、これは以前の例だが、第三者がこの両者の対面を見ていての感想は木戸自身の感想とはずいぶんちがっている。たとえば長州の品川弥二郎が同席したことがあるが、

（よくも木戸さんは、ああシツコク言えるものだ）

と品川がはらはらしたほどだし、一面、品川は木戸の薩摩批判をじっと聴いている西郷という男に感動し、

（この人は、どこまで大きいのか）

とあきれる思いをもったことがあった。

　しかし木戸当人にしてみれば、西郷に対してどうも物が言いづらく、思うことの十分の一も吐き出していない悶《もだ》えをつねに覚えるし、この日もそうであった。

「あなたが遣韓大使になってゆくことは、それによって今後国際間にどういう事態をひきおこすかもわからず、日本国の前途をむしろ危うくするものである。自分はヨーロッパを一巡して、日本がヨーロッパより三百年間は遅れてしまっていることを知った。いま日本国がとるべき道はただひとつしかない。内治に専念することである」

ということを木戸はキリで揉《も》みこむように西郷の胸に押しこみたかったのだが、しかし西郷は、木戸がそういう口吻《こうふん》を洩《も》らしはじめると巨大な笑顔になり、しかも反応を示さず、木戸の口吻がゆるむと、西郷は頭をさげて、

「自分が韓都に使いができるよう、どうかお力をお貸しくだされ」

というのみなのである。

西郷にすれば、木戸という男を知りぬいていた。木戸が自分に好意をもっていないことも知っていたし、帰朝してからの木戸の国家経営方針が、自分とまったくちがっていることも知っている。

このため、議論などをするつもりはなかった。ただ木戸に遣韓大使の一件を邪魔されたくないという一点だけに期待をかけ、木戸の情をほぐし、頼み入る頼み入る、と頭をさげたつもりなのである。

木戸が辞去しようとするとき、

「私の狩場を見ておいてくだされ」

といって、案内の者二人を付けた。

駒場野はなるほど雑木林が多く、丘陵の起伏に富み、武蔵野の面影を十分にとどめている。

木戸が行人坂《ぎょうにんざか》をくだっているとき、頭上の天に影がさしたかとおもうと、椋鳥《むくどり》の大群

があわただしく移動してゆくのがみえた。

（西郷も、愛嬌がある）

と、木戸はおもった。木戸は鳥にも鉄砲猟にも興味がなかったが、西郷は自分の好むところのものを木戸も好むとおもったのか、

「ぜひ、駒場野の林を見て行ってください。東京にもああいう所があるのかときっと驚きなさるとおもいます」

と、しつこくすすめたのである。

天広く、風がさわやかであった。道が悪く馬車の動揺がはげしかったが、木戸は次第に気が晴れてきた。

「帰途、黒田開拓長官に逢《あ》ふ」

と木戸がこの日の日記に書いているように、この野で偶然、薩摩人黒田清隆に出遭ったのである。

黒田はこの当時、新政府の大事業のひとつである北海道開拓に関する役所の事実上の長官（形式的には次官）をしていた。

薩摩閥のなかで、西郷・大久保に次ぐ者といえばこの黒田清隆であろう。かれは五稜郭攻めの司令官のひとりで、敵の榎本武揚《えのもとたけあき》や大鳥圭介以下を降伏させ、そののちかれらの助命運動をし、成功した。しかもかれらを新政府に出仕させるという離れわざをやってのけたという点でも、この人物の政治力の大きさがわかる。

「了介《りようすけ》」

という名で、幕末には長州人にもよく知られていた。とくに慶応二年、薩長連合が秘密裏に成功すると、黒田清隆は西郷隆盛の指名で薩摩側の連絡者になり、しばしば長州に潜入し、木戸と接触をかさねた。そのため木戸は黒田の人柄のよさをよく知っている。

木戸は、おなじ薩摩人でも大久保に接するとその冷厳深刻な人格に気鬱《きうつ》になり、西郷に接するとえたいの知れぬ威圧感をうけるのだが、それにひきかえこの黒田に接する場合は、骨柄が軽いうえに薩摩人に共通する胸襟《きようきん》の広さもあり、ひどく気楽であった。その上、黒田はどういうわけか木戸を智者だとおもい、心から、

「木戸先生」

とよび、木戸から教えを乞《こ》おうとするへりくだった物腰も幕末《むかし》もいまも変わりなくもっている。

黒田は、この駒場野の一角に、農事試験場のような設備をもっていて、たまたまそこへ来たところへ木戸の馬車がやってきたのである。

「ちょうどよかった。乳牛《ちちうし》も飼うちょります。南瓜《かぼちや》もご覧に入れたいし、ぜひ一巡してください」

と、黒田は木戸を馬車からひきずりおろすようにしておろし、さきに立って案内した。

帰りは、黒田は大きな南瓜を十三貫目も馬車に載せ、さらにトウモロコシをひとかかえもってきて、それに添えた。

この間、黒田は重大な耳うちをした。かれはかれにとって郷党の総帥《そうすい》である西郷の征韓論に対し、むしろそれをぶちこわそうとする魂胆をもち、その一端をさりげなく木戸に洩らしたのである。

黒田清隆が、木戸にこの話をしたのは、この農場の一角にある木造洋館においてである。

かれはほとんど酒精中毒者にちかく、酒の気が切れているときはほとんどないといってよかった。このときも木戸の前にグラスを置き、葡萄酒《ぶどうしゅ》を注《つ》いだ。自分のほうのグラスにもそれを注ぎ、グラス越しに木戸に一礼して一気に干した。

黒田は酒乱の気があり、酔いが深くなるとときに兇暴な形相《ぎょうそう》になったりして、何を仕出かすかわからないといわれている。しかし平素のかれはいかにも薩摩ぶりのさっぱりした気象の男で、多くの薩摩人がそうであるように物を言いかけるときにはかならず口もとに微笑をうかべ、その思考法もおよそ現実から遊離したことがなかった。

かれの長所は、人を尊敬できるということであった。たとえばかれが攻城の将として攻めくだした五稜郭の守将榎本武揚を深く尊敬し、榎本の才智を新生国家のために用いるのは自分の義務であるとおもっていたし、郷党の先輩である西郷についても、かれ自身の表現によれば、

「仁者」

として尊敬していた。ただかれは洋行してきてから日本が文明世界からいかに孤絶した状況にあるかを痛感し、それを痛感するのあまり、以前からかれに多少その傾向のあった智者好きが募ってきて、帰国後は西郷という存在がかれの心の中から薄らぎはじめていた。

というより、世界を見てしまったという驚きを共通に所有している外遊仲間と話すことが多くなり、たとえばかつては黒田が同輩程度におもっていた大久保利通に対して急速に傾いた。

「西郷《せご》どんは比類なき仁者であり、その智謀も測りしれぬところがあるが、惜しむらくは世界の大勢にうといところがある」

と、郷党の者に語ったことがある。

この黒田の西郷評が西郷の耳に入ったかどうかはわからないが、西郷はこの征韓論以前にひどく自分に失落感を覚え、自分はもはや過去の歴史のなかにあると規定し、新時代に役立たぬ旧物にすぎないという意味のことを土佐の板垣退助に語り、板垣から大いにその自己規定の不当であることをなじられたことがある。西郷は決して旧物ではなかった。

が、洋行帰りの黒田などからみればそのように見えた。

「ちかごろの征韓論」

と、黒田は言いだした。かれは立場上征韓論に反対するわけにいかず、ずいぶん言葉をえらんで木戸にいった。外遊組は一様に外国の力のおそろしさという点で秘密の恐怖心を共有していたが、そのことはたがいにおくびにも出さず、かといってたがいにその恐怖を共有しているという点で、残留組に対して同志感ができていたのである。

征韓論を実施すると列強の袋だたきになるという露骨な予想は黒田は口外しなかった。いわずとも「恐怖」を共有している木戸ならその予想がわかってくれているはずだという安心感があった。

黒田は黒田なりに、

「日本はなんと小さな国か」

ということを、その外遊によって知った。この自分の国がいかに小さいかという認識ほど、戊辰の争乱をくぐりぬけてきた黒田清隆らにとって悲惨な実感はなかった。文化が遅れ、農民は貧しく、物産に乏しく、国土がせまい。とるところがないようにおもえる。

しかも海岸線が長大で、防衛となればこれほど防衛しにくい国はなかった。海上の防衛は海軍をもっておこなわねばならないであろう。しかしその海軍たるや、黒田がヨーロッパで見た川蒸気ぐらいの船に軽砲を積んでいるのが幾隻かある程度であった。

黒田にすれば、もし、である、日本が征韓論外交を推進して国際的波紋を投じた場合、ロシアとシナと英仏が当然これに干渉する。かつて長州藩が下関海岸で英米仏蘭《らん》の四カ国連合艦隊と戦ったとき、かれらの強大な砲火の前に長州藩兵は手も足も出なかった。あの列強の艦隊が東京湾に入ってくればどうなるであろう。

日本の陸兵は韓国にいる、列強の艦隊はただちに上海を抜錨《ばつびょう》し、東京湾に入り、威力外交をおこなう、――そういうはめに陥るのは自明の結果で、いかに国内で壮士たちが大言壮語しようとも、日本政府は列強の砲艦外交で首の根をおさえられ、西郷の大理想どころか、自主外交の権能をすらうしなってしまう。

「日本は亡びます」

とは、黒田はいわなかった。黒田だけでなく、明治維新の成立以来、日本の廟堂の大官で外交を論ずる者はおくびにも弱気の言葉を出さないという風習ができていた。それはなぜかという詮索《せんさく》はここでは措《お》く。

強気の外交論にして、もしそれが気に入らなければ他の強気の外交論を花火のように打ちあげて世間の目をそらしてしまう以外に手がないという政治的痼癖《こへき》ができている。

「木戸先生、どう思われます」

と黒田が語ったのは、樺太《からふと》（サハリン）の問題である。

「征韓一件も大事かもしれませぬが、それよりも樺太の問題が火急で、これをさきに片付けねばならぬように思いますが」

といった。

この年（明治六年）の二月、樺太の大泊《おおどまり》（コルサコフ）でロシア人多数が日本側の漁番屋を襲撃し、放火し、さんざんに暴行したのである。それらの暴状に対して日本国政府は非力で、在留邦人を保護することもできなかった。

黒田はその問題のほうが火急だというのだが、その問題の相手は世界第一の陸軍をもつロシア帝国であった。危険性は征韓論よりはるかに大きかった。


木戸はこの翌日、銀座へ出た。

散髪のためであった。

「毛はさみ」

と、散髪・理髪のことはこの当時そうよばれていたが、身だしなみのいい木戸は頭髪がすこしでものびると気になり、頻繁《ひんぱん》に毛はさみをした。

かれは太政官の参議という、江戸時代でいえば譜代大名のみがその職につく「老中」に相当した身分であったから、理髪師を屋敷によべばいいのだが、この明治六年の東京では腕のいい理髪師は数人しかおらず、あとは髪結床から転じた連中が見様見真似《みまね》でやっているだけなのである。やむなく木戸はいつも築地のホテルなどに出かけてゆき、そこで理髪させる。

「どうでもいいじゃありませんか」

と木戸の妻は嗤《わら》うのだが、かつて幕末、京で剣戟《けんげき》の巷をかいくぐっていたころでも毎朝の結髪だけはきちんとしていた木戸にすれば、髪などどうでもいいというわけにはいかなかった。この時期、かれはパリの理髪師にやってもらった髪形が気に入っていた。だからフランス式でなければ気に食わないのである。

「自由の寝起きの出来るのが即《すなわ》ち開化の散髪頭」

という宣伝できこえている店が銀座四丁目四番地にあって、そこではフランス人がやとわれていた。その店の宣伝文句に、

「英風に掻分《かきわ》ける櫛《くし》、仏流に撫付《なでつ》るブラシ」

とあって、フランス流をうまくやるらしいと木戸はきいて出かけてみたのである。

この外出は公用でないため馬車は用いず、途中まで俥《くるま》でゆき、あとはさっさと歩いた。もっとも、刺客に遭う危険はあった。かつて長州藩時代の同志でのち兵部大輔になった大村益次郎も、参議になった広沢真臣も殺された。

木戸も殺されるかもしれない。

このため木戸はふだんの外出のときはめだたぬ和装にしていた。洋服姿というのはひと目をそばだてさせる時代で、そういう姿で気質的な保守家の激烈な反撥《はんぱつ》を買う必要はなかった。このときも、和装で歩いた。

銀座は昨年の大火で焼けた。そのあと東京府知事由利公正の強引な方針ですでに官製の煉瓦《れんが》家屋が建てられつつあり、希望者には一軒四十二円から七十円までで払いさげされることになっていたが、世間では「煉瓦建に入ると青ぶくれになって死ぬ」というので、希望する者がめったにいなかった。

木戸が理髪をやらせたこの「杉浦」は新築の煉瓦家屋を買って店をひらいていた。

「フランス式にやってくれ」

と、木戸は腰をおろすなり、そう頼んだ。傭いのフランス人が出てきて、木戸の頭髪をクシですくいあげた。そのあとハサミを入れた。かつて尊王攘夷の先頭に立ったこの革命生き残りの大官が、いまでは夷風の俗にならい、夷狄《いてき》の理髪師に、武士がもっとも尊ぶ頭をさわらせているのである。しかし木戸はべつに矛盾を感じなかった。

理髪をやらせているあいだ木戸が考えていたのは、黒田清隆が洩らした樺太問題のことである。


木戸は、痩せたフランス人の理髪師に頭髪をさわらせながら、

(黒田はこすっからいやつだ)

と、いくぶんかの軽蔑と多量の好意でもってそうおもった。

薩摩人である黒田の案は、長州人にはまったく思いつかないタイプの思考法から出ている。

黒田にとって西郷は大切な郷党の巨人であるだけに、その西郷の征韓論に対して真っ向から議論でもって反対しようとせず、

――まずロシアを相手に樺太問題を片づけてから。

などと黒田は持ち出そうとするのである。

この案は、いわばユーモアなのである。

この年の二月、樺太で発生したロシア人の日本番屋焼打事件などじつはもう片づいてしまっていて、つまり帳消しになった古証文のようなものであった。

樺太という、北海道の北につらなるこの塩鮭《しおざけ》のようなかたちをした島は、長らく所属がはっきりしなかった。ロシアは自分の領土にしたかった。これを旧幕府にせまり、旧幕府もこれを日本領であるとして抵抗し、慶応三年の協定で「日露共有」という変則形態がうまれた。ところが旧幕府も明治政府もこの島を漁業基地としてしか見ていないのに対し、ロシアはこの島への植民や開発に力を入れ、在島の日本側の支庁に圧迫を加えたりして、いざこざが絶えなかった。二月の紛争もそのひとつだが、ただ現地の大泊の日本官庁（樺太駐《ちゅうさつ》劄開拓監）がロシア側の暴慢にふんがいし、強硬な態度をとった。この当時、樺太の監事は堀基という薩摩人で、戊辰戦争に功があり、明治後ずっと樺太に駐在して日露間の漁業紛争の解決にあたってきたのである。

堀の上司は、開拓使次官である黒田清隆であった。この二月の紛争がおこると、堀は東京の黒田あてに、

「兵を出してもらいたい」

と頼んできたのである。軍隊を背景にしているロシアの樺太役人に対しては、日本も軍隊を出し、それを背景にして折衝しなければ泣寝入りをかさねるばかりだと堀はおもったのである。

ところが黒田は戦争をおそれた。軍隊を出せば結局は日露戦争になってしまう。かといって黒田は、

「ロシアがおそろしいから」

という本音がいえない。なにしろ明治政府は「外国をやっつけろ」という攘夷スローガンでもって成立した革命政権だけに弱音というものはいっさい吐けないという政治思想が牢乎《ろうこ》としてあった。このため黒田は堀に対し、

「いま軍隊を派遣できるだけの余裕がない。いきなり軍隊派遣を考えず、事実関係をよく調査して東京へ報告してもらいたい」

と、穏当な回答をした。現地の実情はどうであれ、東京の役所仕事としてはこの一片の回答だけでこの問題は片づいたも同然になっていた。

であるのに黒田は、

——樺太問題のほうが先決だから。

という提案を出す。それによって征韓論をうやむやにしてしまおうというのが黒田案であった。ロシア帝国を相手にするほうがより戦慄的であり、たかが李氏朝鮮を相手にするようなものではない。世間の征韓論気分はこれによって風船がしぼんだようになるのではないか、というのが黒田の目のつけどころであった。

理髪をおわると、木戸は銀座の通りをあるいた。

むろん木戸はかつての剣客らしく前後左右の人の動きに十分目をくばり、一剣をもって政治に変化をあたえようとする手合への用心を怠らない。

この当時、参議や高官たちの刺客への警戒心というのは、その後の政治家の想像を越えたものであった。公式の外出には警官がついたが、私用の外出の場合には書生と称する壮士が数人、高官の身辺を警戒しつつ供をした。

木戸が他の連中と変わっている点は、書生を置くことがきらいだったことである。多分に厭人的になっている木戸には、とくに若い者がわずらわしかった。彼等の議論に受けて応《こた》えてやることも面倒だったし、彼等を育成して将来の人材にしてやろうという親切心も木戸にはなく、まして徒党を形成して一勢力をつくろうという野心もなかった。この一種の気むずかしさのために、明治後の木戸にはずっと淋しさがつきまとっていたが、さしあたっての不便は、護衛として連れてゆく書生がいなかったことである。

木戸は、煉瓦建の普請現場にさしかかると、しばらく立ちどまってそれをみた。

(不燃の都をつくるのだ)

というのが、東京府知事由利公正の意気ごみであることは木戸もきいていた。由利はかつて三岡《みつおか》八郎といい、越前福井藩士で、維新成立の直前、土佐の坂本竜馬が由利の器才を買い、わざわざ福井までよびに行って西郷や木戸にひきあわせた男である。

由利は銀座だけでなく東京の中心街はぜんぶ二階建の煉瓦造りにするという思いきった計画をもっていたが、これはやがては計画倒れになる。理由は簡単であった。民間が由利の構想について来ず、煉瓦建の家を買わなかったために東京府が資金難におちいったためである。

最初は煉瓦積みぐらいは日本の左官でできるだろうと思われていたが、とてもその技能がなかった。由利は銀座の都市計画と建物の普請を傭い英人技師にまかせたのだが、その英人技師は大工・左官の養成からはじめねばならなかった。

木戸は歩きながら、

（どうも、西洋館には松やモミジなどは映りがわるいな）

と、おもった。由利は街路樹の構想ももっていたが、樹《き》は日本在来のものをえらび、松やカエデ、それにサクラなどを植えつつあった。

歩行中の木戸が、おもわずぎょっとして路傍に身をよせたのは、騎馬の男が通って行ったためである。汚ない老馬に日本鞍を置き、中間《ちゆうげん》装束の馬丁に馬の口をとらせている。馬上の当人は古武士のように大きな大小を差し、頭は町医まげに結っている。そのまげでわかるとおり、男は医者であった。維新のおかげで平民の乗馬がゆるされた。この医者が維新を理解したのは、かつての高級武士のように平民でも騎乗できるという点だけだったらしく、その装束風体のほうはむしろ時代に逆行していた。こういう庶民をひきずって、樺太問題も征韓論もあったものではない、と木戸はため息をつく思いだった。

渋谷金王町

「新帰朝」

というのはこの当時にできあがった新語なのだが、試みに「広辞苑」をひいてみると、この言葉は記載されていない。こんにちでは死語のひとつになってしまっているのである。

字義どおりにいえば、

「外国から帰ってきたばかりの人」

ということだが、ただしその外国は韓国や中国のような旧文明圏を指さず、欧米にかぎられる。というより新帰朝という言葉は字義よりも思想語として受けとられていた。欧米文明という、アジア世界とはまったく別系列の文明に接し、それに一大衝撃をうけ、その衝撃から日本的現実を批判し、一年に一センチでもいいから日本を欧米に近づけなければ日本はほろびるという危機感をもった人を指す。

首都の警察を指揮する川路利良もまた新帰朝であった。

かれの死後、かれの妻の兄である同郷の川畑種長というひとが追悼文を書いている。川畑は官吏としては当時の感覚でいえば出世した人物だが、この時代における川路の存在を、

「一鼠賊《そぞく》」

と表現しているのがおもしろい。鼠賊というのはこそ泥のことである。むろん川路利良は盗賊をつかまえる側で、盗賊であったことはなかった。

川畑種長は、

「この時代は実に英雄輩出の時代で、大警視の如きは一鼠賊の徒であったかもしれないが」

と書いている。この場合の鼠賊は、たとえば西郷隆盛、大久保利通、江藤新平、板垣退助、副島種臣、福沢諭吉、勝海舟など、一人でもって天下を覆《おお》うに足る人物が雲のごとく出たなかで、川路利良などはちっぽけな存在であったということを、身内の立場から卑下してそう表現したわけで、卑下するあまり、川畑に文字の素養が乏しかったため、ついこそ泥と言ってしまったのであろう。

川路というこの鼠賊もまた「新帰朝」であった。かれの思想は、

「日本に文明を興さねばならない」

という点で、ためらいもなく決然としていた。さらにかれは職掌柄、

「文明を興すものは法律である」

という思想をもっていた。

かれにいわせれば、西郷の管轄下にある近衛将校たちが日夜政論や横議《おうぎ》をたたかわして国家に秩序のあることを知らず、兵を擁し、剣を撫《ぶ》してつねに政府を倒すことを考えているのも「無法の国だからである」ということになり、法が文明を興す以上、その法の執行者である警察こそ文明をおこす母体であると信じていた。

川路は、

「立小便の弊風《へいふう》を根絶する」

ということをやかましくいっていた。西洋には立小便というものがなく、かれが帰朝して横浜に上陸したとき、征韓論さわぎに驚いたのとおなじ大きさで、町人たちが平気で路上で放尿している風俗を見て、目の前が真っ暗になるほどの衝撃をうけた。

この当時、東京の大道でもいたるところでひとびとが放尿していた。前を隠そうともせず、むしろ通行人に見えるようにして放尿するのが、「江戸っ子の猛気《きおい》」といわれていたし、通行人のほうもそれに驚かず、

「きょうは巨根を見たから明日は雨だろう」

と、それで晴雨を占ったりした。川路はそれをみても文明への使命感をふるいたたせ

た。

川路は、しばしば西郷を訪ねた。

西郷が保養している金王町《こんのう》の西郷従道屋敷のほうであった。訪ねるときは従者をつれてゆき、付近の農家を借りて官服をぬぎ、従者にあずけ、和装姿になって西郷従道屋敷へ行った。

官服をぬぐという心理的事情は複雑である。

元来、川路は警察官の品位を向上させるため、

「私宅以外での飲酒は禁ず」

という苛酷《かこく》なほどの規定をつくり、いかなる場所へゆくにも官服を着よ、私服の着用を禁ずる、とし、官服に対する体面をもって警察官個々に自律性を高めようとしていた。

さらにいまひとつの理由は、当時警察官はすべて士族であった。薩摩士族が大半であったが、他藩の士族も多く、藩によっての士風がまちまちで、それを一つ色調に統制するのは非常な難事業であった。川路はその方法の一つとしてかれらに官服を常時着せておくことによって警察独自の新士風を確立しようとしていたのである。

その川路が、西郷を訪ねるときにかぎって私服を着たのは、官服を着て西郷に会うのは変に気はずかしかったのである。

このことは、西郷の人格による。

近衛将校の親玉の一人である陸軍少将桐野利秋でさえ、西郷を訪れるときは馬さえ用いなかった。金モールのついた軍服をぬぎ、薩摩絣《がすり》に白い兵児帯《へこおび》といった書生姿で出かけた。その理由は西郷が官服をいやがるということではなかった。

なにやら、官服姿で西郷の前に出ると変にはずかしいのである。西郷がもっている人格的ふんいきのなかに入る場合、軍服や官服といった太政官の権威の象徴であるユニフォームを着ていると自分がいよいよ卑小に感じられるだけでなく、極端にいえば西郷的ふんいきに対する敵対者であるような感じさえもつのである。

そのほかにも、理由がある。桐野が陸軍少将の金色燦然《こんじきさんぜん》たる軍服を着、川路が邏卒《らそつ》総長というかつての江戸町奉行といった職の制服を着ているにしても、それはすべて西郷が着せてくれたもので、桐野と言い、川路と言ってももとはといえば薩摩の一介の貧乏郷士にすぎなかった。そういう自分が、西郷が着せてくれた官服で玄関からのりこんでゆく気にはとてもなれないのである。

「玄関」

といったが、これについて触れる。桐野もそうであったが、川路も西郷を訪ねる場合には玄関から入らない。勝手口から入るのである。

武家の作法として、そうであった。下級者や後輩が、他家を訪ねる場合にとくにその家の当主のゆるしがないかぎり、門から入らずくぐりから入り、玄関にはのぼらず、裏口へまわるのである。

しかしもし官服で西郷の寓居を訪ねる場合には、太政官の権威の手前、やはり玄関から入らねばならない。

それやこれやの配慮があって、川路は薩摩絣に兵児帯という姿で、この日も西郷を訪ねた。

西郷は、離れ座敷にいる。

縁を開《あ》けはなったまま、肘《ひじ》まくらをついて横になっているのが、銀杏《いちょう》の老樹をとおして川路に見えた。銀杏というのは、西郷の寝ころんでいる座敷の前にある。西郷は大きな目をひらいてその青葉のこずえのあたりをながめていた。

川路は庭の草を踏んで離れ座敷に近づくと、西郷は寝ころんだまま、川路の胸に滲《し》みとおるような笑顔でニコリとした。

——汝《わや》、来たか。

といった表情なのだが、言葉に出さないところは一種滑稽の味がある。西郷だけでなく、薩摩の風ではこういう場合、気持を表情にあらわすだけで済ますようであった。

川路がよくみると、西郷は着物を着ていなかった。紺木綿《こんもめん》のふとんの皮を一枚、上から掛けているだけで、中身はふんどし一つだった。

（また単衣《ひとえ》を洗ったのか）

と、川路は縁側へあがり、板の上にすわりながら、ひとが滑稽におもうこの西郷の習慣をかれだけは滑稽には思えず、泣きたいような思いをもった。

西郷は初夏から初秋にかけての暑いあいだ、薩摩絣の単衣を一枚きりですごすのである。そのくせ清潔好きなために、三日に一度は下僕に丸洗いをさせ、陽《ひ》ざしの強い場所に干しておく。それが乾くまで半日裸でいるのである。

ほんのひと月ばかり前、こういうことがあった。

木戸孝允が、自分の屋敷で欧州の事情を語るべく、三条実美を筆頭に板垣や西郷その他留守組の高官たちを招待したことがある。

定刻になっても西郷は来ず、時間に几帳面《きちようめん》な木戸はいらいらし、

「西郷老人はまだか」

と、幾度もつぶやいた。老人というのは木戸が常用している西郷への敬称で、年齢とは無関係のことである。

ついに使いを走らせたところ、事情がわかった。西郷はふんどし一つで机にむかって文字を書いており、単衣が乾くのを待っているのだ、という。

「乾き次第、すぐ罷《まか》ンさ」

というので使いはおどろき、木戸邸に馳《は》せもどってその旨を告げると、さすがの木戸が大笑いをし、三条実美のごときは口をおさえてうつむき、背中がしばらく波立って息苦しそうであった。

木戸はやむなく使いに自分の着物をもたせて西郷のもとに走らせた。

西郷はなみはずれた巨漢である。木戸の着物をきると、腰はやっと覆《おお》えたが袖口《そでぐち》やすそがツンツルテンで、なんとも奇妙な姿になった。

その姿のまま木戸家の馬車に乗ってゆき、会合の場所ではさすがに羞《はず》かしがって小さくなっていた。そのときの会合で木戸がしきりに欧州事情を物語ったが、西郷は積極的な関心を示さなかった。ひとつには木戸が言うような西洋知識は旧幕時代から西郷ももっており、西郷にとって新奇な話でもなんでもなかったからであろう。

川路は、その一件を聞き知っていた。

ところがいまその姿を眼前にみて、

(問題は衣類のことではない。このひとは、浮世の栄爵《えいしゃく》というものがついに身につかぬ人ではないか)

と、衣類を離れて、西郷の生涯の危険さを感じたのである。

「何故《なえごて》、単衣をお作ィやらんとごわンそかい？」

と、川路がいった。

西郷が単衣一枚で暮らしているなどばかげている、と川路は思うのである。西郷は参議、陸軍大将、近衛都督という三大重職を一身で兼ねており、その俸禄《ほうろく》は木戸や板垣よりも大きい。単衣の百枚でも作ろうと思えば作れる家計ではないか。

「そげな、面倒なこっ」

と、西郷はとりあわず、ゆっくり起きあがった。

脂肪が多いせいか、西郷の皮膚はつややかである。右ひじに四、五針縫った古傷がある。少年のころ喧嘩で友人に切られたあとで、どうやら筋を切られたらしく、右腕の屈伸がいまでもやや不自由であった。このため西郷は年少で剣術修業を断念し、若いころは角力《すもう》ばかりとっていた。角力をとるぶんには不自由はない。

腹の脂肪は、ちかごろ節食と下剤療法でだいぶ薄くなったが、それでもなお見とれるほどみごとな太鼓である。その腹の下に六尺の下帯がきりっと小気味よく締められているが、睾丸のあたりが荷物でも包んでいるように大きくふくらんでいる。この始末には西郷はいつも難渋《なんじゅう》していた。

かれが安政六年（一八五九年）、大島に遠島になったとき風土病にかかって睾丸が大きくなり、そのまま癒《なお》らなかったため、遠道を歩いたり馬に乗ったりする場合にひどく不自由であった。

「厄介《やっけ》なもんごわすなァ」

西郷はときどきひとにこぼす。このため西郷は狩猟などに出かけるときには、かれが考案した袋の中にそれをおさめていた。袋はウサギの毛皮を二枚縫いあわせたもので、この袋さえかぶせておけば何里歩いても擦《す》れる気づかいはなかった。

西郷は、五体も目鼻だちも、けたはずれに大きかった。ただ西郷はこの巨軀《きょく》でもって人に威圧をあたえようとしたことがなく、むしろ逆にこの巨軀を恥じ入り、じつに無駄の多い人間だということを心からおもっていた。たとえばかれが薩摩の加治木へゆき、知人の家にとまったとき、食後、大きな文旦《ぶんたん》が三つ出た。それを三つとも平らげてしまい、

「自分はかような者で」

と、自分のために大汗をかいて言いわけをした。自分はからだが大きいために着物を作っても一反では足り申さず、食べものもたくさん食べ申す、これが牛や馬なら好《よ》か牛馬でごわすが、といった。牛や馬なら大きいことはめでたいのだが、と言い、

「人間としては損でごわすな。しかしたくさんたべるからというて、ヤシゴロではごわせんな」

と、むきになって弁解した。ヤシゴロとは食物に卑しい者という意味である。西郷は自分が人並みはずれた体格をもっているということをむしろ肩身せまくおもっていた。

西郷は旧幕時代、薩摩藩を代表して諸藩との交渉にあたっているころ、むしろ美服といっていいものを着ていた。西郷は元来服装にぞんざいな男ではなかったのだが、しかし彼自身をふくめてかつての同僚が廟堂の大官になり、大厦《たいか》に住み、美服をまとうようになってから、急に田夫野人《でんぷやじん》のような姿を好むようになった。

（この西郷《ひと》の危険はそこにある）

と、川路はおもうのである。

西郷が、日本国の極官の座につきながら、美邸も造らず、馬車ももたず、弟の屋敷に居候し、ふだん着は一枚きりで、いつもすその短い薩摩絣に兵児帯を二重巻きにして駒場野あたりを走りまわっているようでは、その日常の存在そのものが新政府に対する痛烈な批判であるといえる。

西郷は口にこそ出さなかったが、

――高官《かれら》をして贅沢《ぜいたく》せしめるために我等は幕府を倒したのか。

ということを、全身の毛穴から血が噴き出る思いでその鬱懐《うっかい》を叫びたかったのである。

「いまとなりては戊辰の義戦も偏《ひとへ》に私を営みたる姿になりゆき、天下に対し、戦死者に対して面目無し」

と、西郷はしきりに涙をこぼしたという話がかれの晩年にあるが、元治元年以来西郷のそばにいた川路には早くからこの巨人のそういう心事がわかっていた。

西郷が、こうもいっていた。

「自分を愛することが、善《よ》からぬことの第一である」

とか、あるいは後世に親炙《しんしゃ》されたところの「命も要《い》らず、名も要らず、官位も金も要らぬ人は始末にこまるものである。しかしこの始末にこまる人ならでは艱難《かんなん》を共にして国家の大業は成しえられぬものだ」ということも川路は西郷自身の言葉で聴いていたし、西郷そのひとがまったくその言葉どおりの人であるということも、多年西郷に接してきてよくわかっている。

（しかし、だからこまる）

と、川路はおもうのである。

川路の骨頂《こっちょう》は仕事好きにあり、決して明治風の立身出世主義者ではなかった。西郷の人間も思想もわからぬでもない男であった。しかしながら川路は天性秩序を好み、その意味ではかれはうまれながらの法秩序の愛護者であった。秩序は破壊よりも多分に俗なものであることを川路は知っている。川路は、西郷が参議であり陸軍大将である以上、多少はそれにふさわしい俗な装飾に安住してくれることのほうが、明治政権の永続のために大切だとおもっていた。

（しかしこの人はつねにその栄誉の地位を居づらく思い、つねにそれを捨てようと気構えている）

たとえば西郷が着たきり雀《すずめ》でいるということ自体がすでに反政府的行動であり、さらにいえば明治政権を瓦解させてしまうかもしれないという、大がかりな国家的不安のモトになっていた。

このことは、この当時、天下に不満の充満した時代相を思いあわせなければ理解できない。

「西郷のみは、廟堂で綺羅《きら》を飾っている政府高官や、民衆に威張ることだけを能としている木《こ》っ端《ぱ》官員どもとはまるでちがう」

ということは、不平士族のあいだで口から耳へと伝わっていて、いずれは世直しの祭神のようにされてゆくのではないかと川路は治安官の立場から不安におもっていた。かれが西郷の着たきりの生活に大がかりな不安をもつのは、以上のような理由による。

（今日こそ、伺ってみよう）

と川路は、かねてこの一事だけは西郷に単刀直入に質問したいと思っていることを今日、質問してみようとおもった。

「日本に大乱がおこるか」

ということである。明治政府を転覆させるような大乱が、である。

その前に川路の心事からいえば、

（そういう大乱が、津々浦々に勃発《ぼっぱつ》するのではないか）

という不安と観測があった。この不安と観測は川路だけのものではなく、太政官の大官たちがひとしく感じ、ひとしく不安がり、ひとたび乱がおこれば太政官の威権など水泡《うたかた》のように消えてしまうのではないか、とおもっていた。

もしそうなれば、

――東京は孤島になる。

川路は、この政権の最悪の事態までそのように想像することができた。

幕府瓦解と維新とそれにつづく諸改革（封建制の打ち崩しと中央集権制の確立、さらには欧化政策による諸風俗の変改など）によって全国の士農工商がことごとく悲鳴をあげめていた。社会的動物としての人間は元来が馴《な》れなじんだ秩序を好むという点で、きわめて保守的にできている。全国三百万といわれる士族たちがその既得権を明治政権によって奪われた。この一事だけでも、明治政権は士族三百万人にとっての敵であった。さらに二千万以上の農民層にとっても明治政府は不快きわまりない政府であった。明治政府は新国家建設の財源がないため、旧幕時代同様、農民の租税にたよった。この新政権は幕藩体制以上に大きい予算が要るため、自然、租税の負担が重くなり、はじめ維新を世直しだとおもっていた農民たちは、

——なんのための世直しだったか。

と、裏切られた思いをもった。それに加えてこの年（明治六年）に公布された徴兵令がある。江戸三百年、農民は兵士にとられることがなく、それだけが農民の徳分《とくぶん》というものであった。ところが明治政府は租税が重いうえに農村の壮丁を兵士にするというのである。

（これで、乱がおこらぬはずがない）

と、文明への志向者である川路利良も、そうおもうのである。

しかし川路の立場は、一介の士族ではない。

明治政権の崩壊をふせぐ力は、ひとつは内乱鎮圧用（外征用のものでなく）の軍隊としての鎮台である。この整備と充実を、長州人の陸軍中将山県有朋が着々とすすめている。

いまひとつの力は、多分に政治警察の機能をも兼ねた首都警察であった。西郷がこれを創設した。さらに西郷の命で川路がその指揮者になっている。

その川路が、

——乱がおこるでしょうか。

と、西郷の腹中をたたいてみようというのは、皮肉ではなく、当然の職責であった。もっとも強烈な皮肉でなくもない。

痛烈な皮肉でなくもない、というその意味は、

「乱」

という、明治政権が抱きつづけた恐怖の予感は、じつをいえばさしたることはないともいえる。

会津という、旧幕の最後の抵抗力は戊辰戦争でたたきつぶされた。会津士族団は奥州における不毛の寒冷地ともいうべき下北《しもきた》半島に移され、すでに抵抗はない。むしろ、まとまった潜在抵抗力としてもっともおそるべき存在は奇妙なことに旧官軍の藩地であった。薩摩を筆頭とし、長州、土佐、肥前の在郷勢力であった。

たとえば長州でさえ、いかに危険状態にあるかといえば、この時期よりすこしあと、憂鬱屋の木戸孝允が、

「新政府は、自分のふるくからの志とはいよいよ別のものになってゆく。これを是正し

ようにも自分は非力でどうすることもできない。官を辞し、長州へ帰り、山口で死にたい」

と、伊藤博文にいった。長州の伊藤博文は薩摩の川路利良とおなじく、新官僚の頭目株であった。その伊藤が即座に、

「死ぬなら東京で死んでもらいたいですな」

と、釘《くぎ》をさした。木戸ほどの大物が余生を故山で送るべく長州へ帰ってしまわれると、長州在郷の不平分子はえたりとばかりに木戸をかつぎあげ、これを旗頭《はたがしら》にし、東京政府転覆の挙兵をすることは火を見るよりもあきらかであった。木戸がいかに旗頭になるまいとしても、在郷の熱気というものが結局木戸をかつぎあげてしまうということを、目の利《き》く伊藤はよく知っているのである。

満天下にみちみちている不平は、いまのところ地鳴りでしかない。地熱は日に日に高まっているが、しかし爆発はしない。爆発するには天下に名のとどろいた指導者をかつぐことが必要であった。

「東京で死なざるを得ぬか」

と木戸が吐息とともにつぶやいたというが、しかし木戸が旗頭にされても、乱はせいぜい長州の旧藩領にとどまり、満天下をひっくりかえすような大乱を誘爆させることはできない。

いまの廟堂の参議で、彼がその故郷にさえ帰れば天下が乱れるという人物は、たとえ

ば土佐の板垣退助でもむりであった。板垣なら土佐一つが足並みをそろえるというところまでゆかないであろう。肥前佐賀の江藤新平も一地方の乱にとどまる程度で、まして土佐の後藤象二郎や肥前佐賀の大隈重信といった人格的影響力に乏しい人物では、一郡一村の乱にもならない。

そこへゆくと、西郷隆盛であった。

（この人がもし官を辞して鹿児島へ帰れば世の中はどうなるだろう）

と、川路は戦慄する思いでそれをおもうのである。

西郷がもしそれをやれば、天下の不平の士が風《ふう》をのぞんで馳せあつまり、さらに旧薩摩藩の潜在武力を西郷が本気でつかうとすれば、この基盤脆弱《ぜいじゃく》な太政官政府などは一ゆすりで吹っとんでしまうであろう。川路は、西郷が単衣一枚の着たきり雀でいることにさえ、国家的な危機感を感ずるのはそういうことであった。

川路が、思いきってきいてみた。

——乱がおこるでしょうか。

ということを、である。

西郷の両眼は、大きかった。旧幕時代、兵庫沖の薩摩藩の汽船のなかで西郷にはじめて会った英国公使館員アーネスト・サトウは、西郷の大きな目について感動的な描写をしている。

「その船を訪ねると、じつに興味のある人物に会った。この人物は、黒く鋭く光る目をもった、いかにもたくましげな肥大漢で、寝台に寝ころんでいた。片方の腕には刀痕《とうこん》が見えた」

と書き、このときは薩摩藩の連中はアーネスト・サトウに西郷の名前を明かさなかった。しかし直観力に富んだサトウはこの人物を一目みてかれこそ西郷に相違ないとおもった。その後、数カ月してふたたびサトウが兵庫へきたとき、兵庫村の薩摩藩の船宿で正式に西郷と対面した。

サトウが、かつてあなたを見たことがある、そのときサツマのひとびとは「あの船室で寝ころんでいる人物は西郷ではない、シマヅ・サチュウというのだ」と私にうその名前を教えた、というと、西郷は腹の底から哄笑《こうしょう》した。そのあと、儀礼的なあいさつをした。

「その後《あと》が、こまった。西郷はのっそりと間の抜けたような顔をしていて、一向に話をしないのである」

西郷はそういう男であった。こちらから話題か用件をもち出さなければ反応を示さないのである。話題や用件さえ持ちだせば西郷はかならず正直に答え、その論理はつねに明晰であった。このあとサトウがある外交問題について質問すると、西郷はサトウを感嘆せしめたほどの明快さで応じた。が、それまでの手持ち無沙汰《ぶさた》というものには、サトウも閉口した。閉口しつつも、

「しかし西郷の目は大きな黒ダイヤのようにかがやき、物を言うときの微笑は何とも言えぬほどの親しみがあった」

と、書いている。

渋谷金王町の屋敷の離れ座敷で川路にむかって語っているこの場合の西郷もおなじであった。

かれは川路に、

「乱など、おこるまいよ」

と、まず断定したのである。もっとも、西郷のこの言葉には重大な前提が付いている。

——乱がおこらぬようにすれば。

ということであった。

西郷にいわせれば乱というのは方向を失った活力である。乱をおこすほどの民族でなければ頼むに足りないが、しかしいたずらに乱をおこさせる政府というのは大方向を持っていない政府である、いま全国の不平士族は活力をもてあまし、その活力をどこにむけるべきかにこまっている、国家はこの活力を大寄せに寄せて一つの方角を与えねばならない、と西郷はいうのである。

それが、征韓の策であった。

乱のエネルギーを征韓の策でもって吸いあげて世界にむかって正義を押し出せば乱などおこるはずがない、と西郷は言い、言いおわったあと素裸ながら居ずまいを正し、

「アジアのことは順聖公《じゅんしょう》（先代の島津氏当主・斉彬）の御遺志でもあった」
といった。故島津斉彬は西郷が亡主という以上に師として敬仰している人物であった。

思想像としての西郷という存在は、その輪郭がどこまでひろがっていて、どういう形態をしているのか、きわめて理解しがたい。作者はこの作品を書くことによってすこしずつそれを知ってゆきたいと念願している。しかしいま数語でその形態を示せという問いが出されても、白紙答案を出す以外になく、ただ霧のむこうの山容をうかがう思いがしているだけである。

西郷には、書簡その他をあつめた全集のようなものがかつて編まれたことがある。西郷は当時としてはめずらしくモダンな、達意の文章を書くひとであった。文章の調べも高い。しかしそういう文章を見、あるいは彼の数多い筆跡をみても、西郷はわからず、それらを通してだけなら維新前後に存在した一個の武士的知識人が浮かんでくるにすぎない。

西郷という、この作家にとってきわめて描くことの困難な人物を理解するには、西郷にじかに会う以外になさそうにおもえる。われわれは他者を理解しようとする場合、その人に会ったほうがいいというようなことは、まず必要はない。が、唯一といっていい例外は、この西郷という人物である。

話が四年あとのことになるが、西郷が、その名において（西郷の真意がどこにあったかは別として）日本の近代史における最大の反政府戦争をおこすが、その戦いの末期のことである。他地方の青年たちもそれぞれ隊を組織して西郷軍に投じていた。そのなかで豊前中津の若い士族六十四人も加わっていた。

戦勢が非で、西郷が軍を解散し、他郷出身者に帰郷をすすめたとき、この中津隊も当然帰ることになった。

ところが、隊長の増田宋太郎だけは踏みとどまった。かれは互選された隊長で、他の隊員たちが、

「なぜ君だけは帰らない。われわれは生死をともにするということで郷関を出てきた。君だけが鹿児島に踏みとどまるというのは、いわば約束を破るに似たことではないか」

となじると、増田は落涙し、

「君たちは隊員であったから、西郷という人を知らない。自分はたまたま隊長役をひきうけたために、この一軍の軍議にも出た。西郷という人にも接することができた。あの人に接してしまえばもはやどうにもならない」

と言い、以下、増田は中津に永《なが》く語りつたえられたところの有名な言葉をのべた。

「かの人はまことに妙である。一日かの人に接すれば一日の愛生ず。三日かの人に接すれば三日の愛生ず。しかれども予は接するの日をかさね、もはや去るべくもあらず。いまは善悪を越えて、この上はかの人と死生を共にするほかない」

増田宋太郎というこの若者は、西郷の弁舌に打たれたわけでもなく、西郷の文章を多

く読んだわけでもなかった。かれは西郷にじかに接しただけのことであり、それでもって骨髄まで染まるほどに西郷の全体を感じてしまったのである。

川路の場合はどうであろう。川路の場合は、この稿を書きつつ考えてゆく。

西郷をわずかながらも知るためには、かれが誰を尊敬していたかということを考える必要もあるかもしれない。

このころ、西郷が起居しているこの家へ、薩摩の若い連中が絶えず訪ねていた。西郷は若い者に対しては話し好きであった。

「……あの人にはとても叶《かな》いもさんという人が、先生にもごわすか」

と、ある若い者がきいた。「叶いもさん」というのは「尊敬する人」という薩摩弁である。

「ごわンさ」

あります、と西郷はうなずいた。薩摩の風として、長者は若いひとに対して言葉が丁寧である。とくに西郷はそうであった。

「司馬温公にはとても叶いもさん」

と、西郷は答えた。

温公、名は光である。北宋の政治家だが、江戸期の日本の教養人にとっては、その必読の史書だった『資治通鑑《しじつがん》』の著者として親しまれていた。かれは子供のとき水甕《みずがめ》に落ちた幼児をたすけるためにその甕を割った。その逸話が、江戸期の日本では寺子屋でよく教えられたためこどもでも知っている名前だった。

司馬光は、王安石と同時代のひとである。

当時、北宋は神宗の時代で、商業資本が巨大なエネルギーをもって農業本位の国家体制を食いあらしていた時代といっていい。たとえば塩と茶が国営になっていたが、このためかえって密売者が跳梁し、塩賊、茶賊といわれながら政商として官吏と結託し、巨富を得、その金を農民に貸しつけて高利貸化し、社会の貧富の差がはなはだしくなっていた。これらのために国力が弱くなり、さらに辺境がしばしば外敵に侵されたが、これを防ぐべき傭兵制《ようへいせい》の兵はぼう大な国費を食いながらはなはだしく弱かった。

神宗は王安石を抜擢して大改革をやらせた。王安石の中国政治史上の位置は大きく、近代以前の最大の政治改革家といってよかった。強《し》いて粗雑なくらべ方をするとすれば、王安石は神宗の独裁権を藉《か》りて、日本でいう明治維新のごとき改革事業を一人でやった人物といっていい。新法を布《し》いて政商の跳梁を封殺し、農民と小商人を保護し、兵制をあらため、傭兵制を廃し、いわば徴兵制を布いた。

この急激な改革はやがて政商の巻きかえしによって失敗するのだが、西郷が尊敬する司馬光はこの王安石の反対者であった。

司馬光は法律万能の王安石主義に痛烈に反対して野にくだり、文筆生活に入るのだが、強いて役まわりとしてあてはめれば大久保利通は王安石の立場に似、西郷隆盛は司馬光のふんいきに似るといえるかもしれない。

西郷は「叶いもさん」理由としてこういった。

「温公の腹の中には、他人に隠さねばならぬことはひとつもなかったといい申《も》す。ところが顧みて自分を思えばまだまだ他人に話せぬことが多か。このあたりが公に遠く及ばず、温公がもしいまに在《おわ》さば、自分はよろこんでお供をする」

西郷にとってかれのいう温公、司馬光が、政治家としての理想的人格であったかもしれない。

しかし西郷の世界観や、世界の中の日本というもののとらえ方をかれに影響したのは、そういう歴史上の人物ではなかった。青年期の西郷が仕えた亡主島津斉彬である。

かれが、「とても叶い申《も》さん人」を問われたとき、司馬温公と答えるよりも、

「それは順聖院《じゅんしょういん》さま（島津斉彬）」

と答えたかったであろう。西郷という、巨大な感情量のもちぬしは、「亡《な》き順聖院さま」とその法名をきくだけでも慟哭《どうこく》したい思いを生涯もちつづけた。

元治元年（一八六四年）といえば、幕末の時勢的緊張が絶頂期に達したときだが、この年は斉彬の七回忌にあたっていた。その命日に、京都の薩摩藩邸の連中は献歌、献詩をつくったが、その座にいた西郷だけはつくらなかった。みな不審におもってわけをきくと、西郷は体を小さくし、

「とても悲しくて作る気持がおこらない」

という意味のことをいった。西郷は豊富な詞藻をもっていた。当然、故主の英邁《えいまい》をたたえることができるのだが、かれは詩を作る以上に自分のなまな感情に対して正直であり、詩歌という感情の技巧化や芸術化をする気持がおこらなかったのである。

斉彬と同志だった越前福井の藩主松平春嶽《しゅんがく》には、

「斉彬どのが私にこう話された」

という意味の手記がある。以下は春嶽がきいたという斉彬の言葉である。

「私、家来多数あれど誰も間に合ふ者なし。西郷一人は薩国の大宝なり。然《しか》しながら彼は独立の気象あるが故《ゆゑ》に、彼を使ふ者は私ならではあるまじく……」

といったという。

西郷の家は、家格が低かった。

とうてい藩主に接近できるような身分ではなかったのだが、斉彬みずから積極的に人材をもとめ、西郷をさがしあて、かれを参観《さんきん》交代の供に加えた。このとき斉彬は鹿児島城外に出て水神坂の上の茶店で少憩した。左右をかえりみて、

「このたびの供に西郷吉兵衛（隆盛が吉之助と改名する以前の通称）という者がいるはずだが、どこにいるか」

と、歯切れのいい江戸言葉でいった。側近がこの大きな体の青年をさがしだして御前につれてきたのが、斉彬が西郷を見た最初だった。

斉彬はひと目で西郷を見ぬき、のちこれを庭方役という卑役《ひやき》ながら殿中勤めにさせ、以後、西郷を政治上の走り使いに使う一方、斉彬が包蔵している世界観や国家観、もしくは世界政策というものを西郷に伝えた。斉彬は四十代の成熟期にあり、西郷はまだ二十代であった。西郷は斉彬によって薩摩藩の代表的人物になった。

「自分はなぜ見出されたのか、消息をよく知らない」

と西郷は晩年もこのことを不審がったが、むしろこのことは斉彬の眼光が尋常一様なものでなかったことを証拠だてている。

西郷は、その主というよりその師というべき島津斉彬を考えなければわかりにくい。

「島津に暗君なし」

と、江戸時代、世間から驚嘆をこめてそのようにいわれた。たしかに戦国以来、島津家には暗君が出なかった。どころか、歴代のどの藩主も容貌が爽快で、どの人物も英気をふくみ、さらには数代ごとに天才的な人物が出たということは、ほとんど奇跡的なような感じさえする。

斉彬の活動期はみじかい。かれは数えて四十三になるまで部屋住みの世子としてすごした。

かれは曾祖父の重豪《しげひで》に愛された。重豪は斉彬が二十五歳のとき八十九歳で亡くなったが、もしこの重豪と斉彬という二人の非常人が薩摩の国主として存在しなければ、薩摩という風土が維新前後から明治期いっぱいにいたるまで日本のモダニズムの先頭をゆくというぐあいにはならなかったであろう。

重豪というのは、江戸期の殿様として信じがたいほどに飛びぬけた存在だった。

重豪は百科事典的知識のもちぬしだっただけでなく、文化意識は江戸期日本の範疇《はんちゅう》の人ではなく、現代シナ語まで学び、

『南山俗語考』

という六巻の語学書まで書いた。オランダ語も学び、みごとなオランダ文字を書いた。

文政九年（一八二六年）、長崎和蘭《オランダ》館の医官シーボルトが江戸へ参府したとき、江戸住まいの島津重豪は斉彬をともなってこの紅毛人を大森宿まで出むかえた。シーボルト自身が書いた『江戸参府日記』にこのことが見えている。ほかに中津藩主の奥平昌高も重豪や斉彬とともに迎えにきていた。

「薩摩の世子（斉彬）ははなはだ鄭重《ていちょう》な態度でわれわれを迎えてくれた。老侯（重豪）は八十四歳（実際は八十二歳）という齢《よわい》にはみえぬほどに目も耳も達者で、元気そうだった。老侯は談話のなかでときどきオランダ語をまじえ、オランダの事物について質問し、さらに動物の剝製法《はくせいほう》を教えてくれといった」

と、書いている。この謁見のとき、シーボルトは日本の貴人の前であるため日本式に両膝を折って対面していたが、中津藩主の奥平昌高が、シーボルトがびっくりしたことに、そっとシーボルトのそばへきて手をとり、あざやかなオランダ語で、

「君、もっと近寄りなさい。私は君からもらった書面や贈物をありがたくおもっている」

といったのである。

重豪は財政的にはとほうもなく浪費家で、つぎの代の斉宣《なりのぶ》（斉彬の祖父）をこまらせたが、ともかくも江戸後期において薩摩藩というものの文化を大いに高めたことはたしかであった。かれは藩校造士館を設立してそれまで無学朴強を誇りにした藩風を変えようとし、武術の面では演武館をたて、あるいは天文暦数の研究所として明時館を設け、そのほか西洋医術の研究のために医学院をおこし、さらに羊毛紡織の機械を買い入れて、のち斉彬の紡績事業にまで発展する基礎をつくった。ついでながら斉彬が城外の工場で動かしていた紡績機械はその後堺の商人に買いとられ、昭和三十年代まで稼働《かどう》していたというおどろくべき事実がある。

話が、脇道《わきみち》にそれている。

が、斉彬についてふれておくということは、西郷が何者であるかを知るために、案外近道であるかもしれない。

斉彬は嘉永四年（一八五一年）に家督を嗣《つ》ぎ、安政五年（一八五八年）に急死しているから藩主であった期間はわずか七年でしかない。

この間、このたった一人の人物がやった治績はおどろくほど多い。

かれは西欧なみの産業国家にしようとして、まず動力の電気に着目した。水力発電所をつくり、その電気をもって有線電信機を作動させ、鹿児島城内の本丸と二ノ丸のあいだにそれを設けた。また鹿児島防衛用の沈置水雷をつくり、外国艦が侵入した場合、送電によって爆発させるようにした。鉱山用の送電地雷もつくって、実用に供した。

またオランダの技術書によって西洋式の火薬の製造を開始したが、その質はむしろ船来火薬よりも良質だった。

貿易用の輸出品として、ガラスを製造した。板ガラス、紅《べに》硝子、切子《きりこ》ガラスをつくったが、なかでも紅硝子は輸出品としてドイツ製品と肩をならべるほど評判がよかったという。

大規模な反射炉もつくった。さらに工作機械工場もつくり、これらによって大砲、小銃の国産を可能にし、げんに大量のそれらを製作した。のちに薩英戦争のときに英国艦隊と戦った海岸砲はことごとく国産砲であり、さらに安政年間（一八五四〜五九）にすでにライフル銃三千挺を製造している。さらに安政二年、蒸気船の国産化に成功し、

「以降、日本国の軍艦および蒸気船は薩摩藩で製造する気概をもて」

と、担当の重役たちにいった。

かれは、流行の鎖国・攘夷論者ではなく、

「鎖国を上策と心得たり、日本国を唯一の世界と思うのはまちがいである。外国との交際と貿易を大いにすべきで、その交際の精神は平和親善であらねばならない。ただその

ためには国防をさかんにし、外国からの侮辱に対しては断乎たる態度をとらねば独立をうしなう」

とたえず重臣たちに諭《さと》していたために、西郷も、当時の多くの志士が最初固陋《ころう》で神秘主義的な攘夷論者として出発したのに比し、斉彬によって早くからその思想が、濃厚とまでいえないにしても開明的になっており、すくなくともかれは終生西洋学を直接学ぼうとはしなかったにせよ、西洋の思想や文物に対する無用の偏見はいっさいもたなかった。

斉彬は天皇を中心とする国家の一元化という革命思想はもっていたが、しかし露骨にはいわず、幕府に対してはじつに慇懃《いんぎん》な態度をとりつづけていた。

しかし安政五年、大老井伊直弼《なおすけ》の独裁高圧主義の政治に反対し、ついに言論をもってこれを阻止できないとみるや、薩摩の精兵三千をひきいて京都にのぼり、天子を擁して幕府と対決しようとし、西郷をよび、

「京や関東においてその下地をつくれ」

と命じて出発させた。西郷はこれを命がけの大政治工作であるとし、勇躍出発したその翌月、かんじんの斉彬が暴《にわか》に病歿するのである。

島津斉彬は幕末のぎりぎりの風雲期をむかえることなく死ぬが、この人間として才能、人格ともに豪華としか言いようのない政治的人間をうしなった日本史は、幕末の政治劇

のために予定された最大の名優をその開幕の直前にうしなったといっても言いすぎではなく、むしろ言い足りないくらいであろう。

幕末には数人の賢侯があらわれた。

「四賢侯」

などと、当時数字でよんだりしたが、時によって人名に多少の異同はある。人数にこだわらずに定評のあった人物をあげると、のちに最後の将軍になった一橋《ひとつばし》慶喜、徳川家にとって御三家の家格をもつ水戸斉昭《なりあき》（烈公）、御家門に列する大名である越前福井藩の松平春嶽（慶永《よしなが》）、土佐藩主山内容堂（豊信）、伊予宇和島藩主伊達宗城《むねなり》、肥前佐賀藩主鍋島閑叟《かんそう》（直正）などがあり、いずれも大名志士として活躍した。

しかし、世の評判というのは一種の化けの皮であることが多い。

歴史の経過というのは、無残で苛酷なところがあって、生存中、満天下から期待され、翹望《ぎょうぼう》された人物が、過ぎてみればただの跳《は》ねっかえりの秀才程度にすぎなかった場合もある。

たとえば松平春嶽がもっとも人柄的に凹凸《おうとつ》のすくない一見君子の風をもった人物であったことはいまなお評価のかわらぬところであろう。賢材を挙《あ》げる能力もあった。ただ当人自身はふつうの殿さまの本質からさほど出ず、みずから思考しみずから決断して行動するという単独の行動能力は稀薄であった。かれはよき輔佐《ほさ》の臣にめぐまれた。たとえば橋本左内が春嶽を輔佐していたときは春嶽は一世の目を見張らせるようなところがあったが、左内が井伊直弼の弾圧政治で刑殺されてしまうと、春嶽は昼行灯《ひるあんどん》のようになった。

「あの侯は、大名のあつまりでなにか質問されたりすると、そのときは反応を示さないが、つぎの機会に出てくると、みごとなお説を吐かれる」

と、江戸の殿中などでささやかれたりした。春嶽には芝居でいう黒子《くろこ》がついていた。この点、水戸斉昭もよく似ていた。かれは「もし水戸の御隠居が天下のことをなさればすべてがうまくゆく」と志士たちに神格化されたほどに期待された人物だが、その輔佐者である藤田東湖があってこその存在だったといえる。

伊達宗城、鍋島閑叟は輔佐者を必要としない人物で、とくに閑叟は尋常一様の政治家ではなかったが終生幕府に対する遠慮がつよすぎ、また山内容堂は詩酒ともに盛大な文人気質《かたぎ》のひとだったが、しかし政治家としては堅牢な計画能力を欠いていた。

島津斉彬の場合、右のような同時代の「賢侯」たちとの比較はかれに気の毒であろう。平安朝以来、斉彬ほどに完成度の高い貴族政治家は幾人もいないようにおもわれるからである。

幕末、無数の空論家を輩出したが、島津斉彬は空論家ではなかった。

たとえば嘉永六年（一八五三年）のペリー来航は、日本人に対し、史上空前の国民的衝撃というべきものをあたえ、いわゆる「幕末」という百家争鳴の政論とテロリズムと内乱の時代がこのときからはじまるのだが、斉彬はおどろかなかった。

当時、幕府や日本人一般のど肝をぬいたのはペリーの東洋艦隊の威力であり、即物的にいえば船が自動的にうごくという蒸気軍艦を見せられたことであった。

斉彬はそのことにおどろくよりも、それを造ろうとした。肥前佐賀の鍋島閑叟《かんそう》も伊予宇和島の伊達宗城と語らい、三藩がたがいに競争のようなかたちで製造に着手し、ペリー来航後わずか三年で三藩がそれぞれ製造に成功した。三藩それぞれが一枚の青写真ももたずに国産化したというのは世界史的な奇跡とさえいえる。

「産業を興し、武備を充実すれば外国はおそるるに足りない」

という点で、斉彬のやり方はつねに充実した具体性があった。

銃器についてもそうであった。ペリーが徳川将軍家にみやげとして旋条銃《ライフル》を二挺もってきた。ライフル銃は当時、世界の小銃の水準からいってもまだめずらしかった。日本でも「威力のある西洋銃」といえば銃口から円弾をころがしこんで、銃腔《じゅうこう》には旋条をほどこしていないゲベール銃程度であり、そのゲベール銃さえ嘉永六年の段階では珍奇なものであった。ライフルが日本に登場するのはずっとのちの幕長戦争のときに長州軍がこれを用いてからで、このときには幕軍は火縄銃とごく少数のゲベール銃で装備されていたことをおもうと、嘉永六年にペリーがもってきた二挺のライフル銃というものがいかにめずらしいものであったかがわかるであろう。

ペリーにすれば、これをもってかれから見れば野蛮未開の日本人に文明国の武威を示したつもりであり、いかに二挺のライフル銃を日本人にあたえてもこれを作る能力はないとたかをくっていたのである。

げんに、幕府は驚くのみで作らなかった。

しかし斉彬は作ろうとした。かれは帰国の前日、幕閣に、

——ぜひ、そのめずらしいものを拝見したい。

と乞い、一挺を借り、一晩でそれを分解して図面に写しとり、幕府に返し、帰国した。帰国後、かれは「集成館」と名づけているかれの工場に、「これを三千挺つくれ」と命じた。集成館にはこの小銃をつくるだけの工作機械がそろっていたのである。ペリーも、かれが愚弄《ぐろう》した日本国のなかでライフル銃を大量製造しうる侯国が存在していることを想像すらできなかったであろう。物理学や化学などの基礎学問や応用化学や機械学などもアメリカのハイスクールやその種の職業学校程度で教えられているぐらいの内容のものは、肥前佐賀藩や薩摩藩ではすでにもっているということもペリーは知らなかった。

斉彬は、あくまでも実際的であった。

かれは「大挙上洛《じようらく》」という秘策を抱き、このライフル銃三千挺をひっさげて京都に拠《よ》り、その威力によって日本国の改造に乗り出すつもりだったのである。が、その秘策はかれの死によって空《むな》しくなった。

島津斉彬についてつづける。

かれについて、一時期の幕政をうごかしていた老中のひとりである水野忠邦などは、同僚の阿部正弘に対し、

「あなたは薩摩守と仲がよさそうだが、かれは油断がならぬ」

といっていたというし、幕府の消息通のあいだでも斉彬につき、

「奸雄《かんゆう》の才逞《たくま》しき人」

とか、

「容易に心中を吐露せず、天下の疑懼《ぎく》する所たり」

などといわれていた。これらの悪評こそ、斉彬にとって最大の讃辞《さんじ》だったかもしれず、かれが尋常一様の大名政治家でなかったことをよくあらわしている。大名育ちの人間というのはどういう才幹をもっていても所詮《しよせん》は甘いものであったが、斉彬はおそろしいばかりに大名ばなれのした人物であった。

「奸雄」

と、幕政家から警戒されていたくせに、その風貌や物腰はじつにおだやかで、

「春風駘蕩《たいとう》の風手《ふうぼう》」(宇和島藩公伊達宗城の評)

とか、

「自分はかつてあの人において怒れる顔色というものを見たことがない。幕府に対してもその心事はまことに恭順《きようじゆん》であった」(越前福井藩公松平春嶽の評)

という印象をその政友にあたえつづけていた。斉彬はなにしろ四十をすぎるまで江戸

屋敷で部屋住みの自由の身であった。若くして殿様になるという尋常の経歴でなかったことが、かれの思考力や人間観、世間観に肉の厚さをつけさせたともいえるかもしれない。

ある藩の殿様が、幕法にふれるような事態がおこってこまっていたとき、江戸城の殿中で斉彬に相談した。斉彬は微笑して、

「幕閣にワイロをお使いなされればよろしい」

と答えたから、その殿様はおどろいた。斉彬は薩摩藩の藩政では吏道の清潔についてはやかましく、ワイロの弊風を一掃した人物であることをその殿様は知っていた。さらにその殿様も書生っぽいほどそういう俗風をきらっていたから、尊敬する斉彬がけろりとそう言ってのけたことに一驚したのである。斉彬は書生政治家ではなかった。「幕閣などというものはワイロでころぶものだ」という現実の動かし方を心得ていたのである。

その殿様というのは、土佐の山内容堂であった。容堂は斉彬の死後、斉彬について、

「いったん天下に事あらば、中原《ちゅうげん》の鹿（天下の権力）はその手に帰したであろう」

と、風雲がおこり、徳川家が衰えたとき、つぎの天下をとるのは島津斉彬であるとまでいっている。さらに容堂は、

「薩摩守（斉彬）は、天資沈毅《ちんき》、その量は江海のごとく、その度は泰山のようである。しかもかれのひきいる薩摩藩は士鋭く、馬騰《あが》る」

と、容堂一流の詩的表現で、斉彬と薩摩の士風をあたかも春秋戦国の国家を論ずるよ

うにいっている。

英雄という表現は、松平春嶽も使った。

「英雄とは実に公の如きを言う」

斉彬には、神も嫉妬《しっと》するのではないかと思われるほどに器才のかがやきがあった。が、その家庭は暗かった。

六男二女の子女があった。ところがそのことごとくが病歿した。

「呪殺《じゅさつ》、もしくは毒殺された」

という風評が、藩内にあった。これについてこの稿で詮索するいとまがないが、半ば事実であったであろう。

斉彬の父の斉興にはお由良《ゆら》という江戸の町家出身の愛妾がいた。その子が、島津久光である。斉彬の庶弟にあたる。お由良は久光を愛するあまり、斉彬がまだ家督を相続していなかったころ、彼とその実子たちを死に至らしめて久光を藩主にしようとした。

「久光擁立派」

という、お由良の意図を奉ずるグループまでできていた。このグループには斉興時代の財政担当者が多く、斉彬に対して批判的で、もし斉彬が藩主になればその開明政策によって藩財政が食いつぶされるおそれがあるとした。

これに対抗して斉彬を守ろうとする「正義派（精忠組）」というグループも出来、家中は大いに動揺したが、当時斉興の世だったため「お由良・久光派」の勢いがつよく、「正義派」が検断され、潰滅せしめられた。刑死者も多かった。そのうち遠島になった者が、大久保利通の父次右衛門である。利通が年少の身で革命の志をひそかに育てたのは、この事件が大きな契機になっている。

が、斉彬がぶじ家督を嗣《つ》ぐことができた。しかし斉彬の子は八人のうち七人まではすでに亡かった。それが偶然であったにせよ、「正義派」の系列をつぐひとびとは、

「お由良のしわざなるべし」

と信じていたし、まだ斉彬に見出されていなかったころの西郷もそう信じ、かれが終生久光に対して隔意を抱きつづけた理由のひとつに、このわだかまりがあった（もっとも久光自身は、その生母やその取巻きの陰謀に参画していたわけではない）。

斉彬が急死したのは、安政五年（一八五八年）七月である。かれは城下天保山で藩士の練兵をやり、みずから馬上で統監したが、酷暑の候で、何度も生水をのんだ。その夜から発熱し、腹痛、下痢をおこし、八日後に死んだ。斉彬は死にのぞんで庶弟久光を枕頭によび、

「そなたの子の又次郎（忠義）を後嗣《あとつぎ》にし、そなたが後見せよ」

と、遺言した。斉彬は風評のすべてを知っていながら久光に対して寛容であった。寛容であることによって自分の死後、家中に騒動がおこることを避けようとしたのであろう。ただ、斉彬には最後の実子として哲丸という六男がのこっていた。斉彬はさらに久

光に、「哲丸を又次郎の養子にしてその後嗣にせよ」と遺言するのだが、この哲丸も翌年正月に病歿するのである。妖蠱《ようこ》は成功したとされた。斉彬の血統はまったく絶えた。

この斉彬の悲劇は、西郷の生涯に強い情念の河水を流しつづけたといっていい。

「――殿様が」

と、鹿児島の殿中で囁かれたものである。

「吉之助（西郷）をよび寄せられてご内談に夢中になっておられるときのご機嫌のよさは、廊下でもお庭からでもわかる。ポンポンときせるで灰吹をお叩《たた》きになる音が、ふだんとまったくちがうのである」

斉彬のことを調べれば調べるほど、大名という環境にいながらこういう人物が存在したのかという奇跡の思いがいよいよつよくなる。斉彬は、若い西郷を家臣とみていなかった。実子か、最愛の門人かのような、あるいはそれ以上に自分の志の相続者として見ていたように思える。

この斉彬のすぐれた叡智《えいち》のともなった情愛を、元来、忠誠心のつよい西郷が、戦慄する思いで感じつづけていたであろうことは容易に想像できる。

この斉彬との一体感が、西郷の生涯において、かれの最後《つい》の情熱の目標になった「征韓論」と不可分ではないのである。

そのことは、あとでふれる。

西郷のあわれさは、かれが斉彬から、

「予は大兵をひきいて京に入り、はるかに江戸にのぞんで幕府に大改革を強要する覚悟である。汝《なんじ》は一足さきに京へのぼり、さらに江戸へくだれ。京と江戸にてその下工作をせよ」

と、秘策をうちあけられていそぎ京へのぼったとき、斉彬の急死をきいたことである。斉彬が周到な計画性をもった人物であることはすでにのべた。斉彬はこの冒険的政治行動を「大挙上洛」と名づけていた。大挙上洛のために斉彬は京の岡崎の畑地に士卒を収容する屋敷をたてるべくあらかじめ土地を買わせてあったほどである。この冒険のためにライフル銃三千挺の急生産を城下「集成館」に命じてあった。


　京における西郷はすべての希望をうしない、自害しようとした。それを同志の僧月照に説諭されてかろうじて思いとどまったが、相ついで斉彬の最後の実子である哲丸の急死をきき、やはり毒殺だと信じた。このときのかれの心境を、国許の福山矢三太という同志に書き送ったかれ自身の手紙で察することにしたい。以下、口語に直訳する。

「誠に紅涙にまみれ、心気絶々です。（中略）太守様（斉彬）の御病状、大小便さえも御床の中にて、苦痛のために一睡もされなかったと聞きます。若殿様には去る二十三日昼よりお瀉《くだ》しにて夜には絶命《ことぎれ》させ給《たま》いました。（中略）私はいずれなりとも死の妙所を得て天に飛揚したく、（中略）ただただ生きてあるうちの難儀さ、かえって生を怨《うら》む思いにて、憤怒《ふんぬ》に焦がされております」

斉彬は、西郷にその志を直伝した。西郷にとっては斉彬のその志を継ぐことのみに生涯をささげようとした。

斉彬の死後、薩摩藩に反動期がきた。

この開明君主がやりつつあった諸事業は、

「金を食う」

というだけの理由で、とりやめになった。

庶弟久光が、事実上の藩主になった。斉彬の遺言で久光の子の忠義があとを嗣いだが、まだ年少であったため、久光が後見役になったのである。久光は愚昧《ぐまい》な男ではなく、また生母お由良が抱いたという妖念とは無縁の精神をもっていた。かれは亡き嫡兄斉彬を尊敬すること篤《あつ》く、その志を継ごうとする気持もつよかった。ただその器《うつわ》ではなかった。久光は斉彬とはまるでちがった頑質のもちぬしで、とくに西洋のものは医薬でさえきらいで、開明主義者ではなかった。西郷は故斉彬への追慕の思いが募れば募るほど久光への憎悪の思いがつよくなった。西郷が久光の面前で、

「地五郎《じごろ》（田舎者）」

と、そっぽをむきながら露骨に罵《ののし》ったことは有名である。

西郷は斉彬の死後、安政ノ大獄のあおりを食って遠島になり、ゆるされてもどると、こんどは久光にきらわれてふたたび遠島になった。

この間、西郷の盟友だった通称「一蔵」こと大久保利通が、

「大事をなすには権力者に気に入られなければならない」

として久光に近づき、久光によって重く用いられ、久光の権柄を代行、もしくは久光をたぶらかすことによって、薩摩藩をして倒幕回天の主勢力たらしめた。この大久保のゆきかたを、西郷は是認していた。やがて大久保らのとりなしで西郷は遠島をゆるされ、大久保とともに幕末の大仕事を開始するのである。

その革命戦略は、安政年間に斉彬が計画した「大挙上洛」の方式だった。西郷は最新式の銃器をひそかに横浜で買いつけ、京で貯え、やがて長州軍をさそい入れて京を武力占拠し、鳥羽伏見で徳川軍と戦って京都政権を樹立するのである。斉彬の方式どおりであった。その京都政権を江戸に移し、太政官政権という中央政権を樹《た》てた。

その政務の実権は、大久保がにぎった。

西郷は、軍へ追いやられた。陸軍大将・近衛都督といえば聞えはいいが、新政をおこなうのはあくまでも政府であり、大久保であった。西郷が、故斉彬から継いでいる志をその「大久保政権」はとりあげようとしなかった。

たまたま大久保らが、政府を半ば空《から》にして外遊した。その留守中、西郷は参議を兼ねた。西郷にすれば自分が参議にあるあいだに、その志を実現したかった。

その志というのは、たとえば征韓論である。征韓論は斉彬が西郷に遺《のこ》した対世界政策の一部であった。

斉彬は、著述しなかった。

このためその思想や政略は、かれに接したひとびとの記憶のなかにとどまった。その記憶者のなかで、松平春嶽はこういう。

安政の大地震とそれにひきつづく大火のために江戸市街の大半が灰になった。当時、薩摩藩の江戸屋敷は、三田、桜田、田町、高輪《たかなわ》などにあったが、そのほとんどが倒潰《とうかい》し、なかでも桜田屋敷は焼失した。

斉彬はとりあえず渋谷の別邸に移った。このとき松平春嶽を渋谷別邸で招待した。安政二年十二月十六日のことというから、大地震の翌々月のことである。

斉彬の部屋には二枚折りの小屏風《びょうぶ》があった。そこにアジア地図が描かれている。地図のあちこちに朱点が打たれてあり、斉彬がよほど熱心にこれを用いていることがわかる。

「ははあ、地図でござるな」

と、春嶽がひざを近づけた。斉彬もその地図のそばにゆき、中国情勢を説明した。斉彬は中国のことを、

「清国《シンこく》」

といった。漢民族にとって異民族である満州民族の王朝が、二百年ばかりつづいている。近年、列強の勢力が中国を蚕食《さんしょく》しているだけでなく、長髪賊ノ乱とよばれている内

乱がつづき、清王朝はこれに対してほとんど無力であり、崩壊を待つばかりという情勢になっていた。斉彬はその時事的な情勢を、欧州一流のジャーナリストのようにくわしく知っていた。

「とてもこの内乱は収拾すべくもありません」

といって、朱点を指さした。それらは長髪賊によって占領されている地域で、十八省の大半がそうであり、帝都の北京は包囲されたも同然になっていた。

「英仏二国は、この虚に乗じようとしております。もしかれらがこの乱に乗ずればシナ大陸は四分五裂の形勢におちいるでしょう。清国は亡びます。亡んでもあらたに社稷《しやしよく》を興す勢力がない。つまりシナ大陸は空家《あきや》同然になります。そうなればこの」

と、斉彬は極東の海上にある島国を指さし、

「日本は孤立します。いわゆる唇《くちびる》亡びて歯寒く、シナ大陸の危機は日本の危機でもあります。日本はどうすればよろしいでしょう」

と、斉彬は春嶽に質問した。春嶽は地図の前にうずくまるのみで答えられなかった。

「ただ一つの法しかありませぬ」

と、斉彬はおどろくべきことを言いだしたのである。機先を制しなければなりませぬ、シナに兵を送るのです、といった。

「ただし目的は侵略にあらず、列強の蚕食からの領土保全にあります」

以下、斉彬はのちに佐賀の鍋島閑叟あたりまでその信徒にさせた有名なアジア政策を

のべた。

近畿、東海、東山、中国の諸藩はシナ本部にむかって入るべし、九州、四国の諸藩は安南交趾《コーシ》（ベトナム地方）方面にむかって進出し、北陸奥羽の諸藩は満州に入り、漢民族にかわってシナ大陸を守るのです、といった。

その国家の運命は、その国家が置かれている地理的環境と不可分のものである。

日本の運命はその孤島性から離れることはできない。世界に何事もなければこの民族は四方が海という天嶮のなかに閉じこもって壺の中の泰平を愉《たの》しむことができた。かつて隋《ずい》・唐帝国という、中国大陸を三世紀半ぶりに統一した大帝国が出現したとき、朝鮮半島がそのあおりをくらって動揺し、その波動は日本にまで押しよせ、天智帝の政権が百済《くだら》と高句麗を救援すべく出兵して、白村江《はくすきのえ》の海戦で日本の水軍は唐の艦隊に潰滅させられた。唐は日本までは攻めて来なかった。その後、日本は九世紀以上にわたって沈黙し、明末、中国の政権の衰弱につけ入るようにして豊臣秀吉が外征し、失敗した。以後、徳川期は鎖国し、沈黙した。

斉彬の時代、清朝は衰弱し、すでに内乱が慢性化し、しかも清朝に交代すべき新勢力は現れず、清朝は国家としてあの広大な大陸を統治する力をうしないつつある。

「いずれ、シナ大陸は英仏が支配するであろう」

という観測が基礎になっている。シナ大陸を英仏が支配すれば日本もろともかれらの属邦になってしまうかもしれないという恐怖が、観測に裏打ちされている。

この恐怖は、日本の地理的性格からくる宿命のようなものであった。シナ大陸でおこる変動や変化が、ときに朝鮮半島というクッションをおきつつもその波動の影響からまぬがれないのである。

その波動は、多分に心理的なものでもあった。大陸の情勢に過敏な感覚と鈍感な感覚がつねに存在し、時代によっても交代した。幕末は国際情勢に過敏の時代であった。

「どうすれば日本が自立しうるか」

と、多くの志士たちが戦慄をもってそれを考えこんだように、斉彬もその一人であった。かれは地球儀を見、アジア地図を見、長崎で情報をあつめ、あるいは南シナの福州に置いている この藩の秘密貿易館（公称は琉球館）を通じて情勢を知るにつけても、

——日本は英国がそのようにして国家を保っているように積極策をとる以外にない。

とおもうようになったのである。

斉彬は台湾についても明るかった。台湾が清国の領土ではなさそうだということも知っており、この台湾に英仏の勢力が伸びれば琉球があぶないということも感じていた。かれはこのために台湾占領策をすらもっていた。

斉彬のこの思想をもってかれが侵略主義であったということにはならないであろう。十九世紀の帝国主義時代の国際環境のなかで日本を自立せしめるにはこれ以外にない、とかれは思っていた、というより日本の地理的環境がかれをしてそう思わしめていたの

である。

——翁はめずらしく多弁に、過去《こしかた》のことやら将来《ゆくすえ》のことなどについて話された。

と、川路はこの日の西郷の印象についてのちにひとに語っている。

西郷は終始裸であった。夕方、陽《ひ》が翳《かげ》ってきたために、物干しから薩摩絣の単衣をおろさせ、それを体に纏《まと》った。着物を着る以上は、西郷は襟元《えりもと》などをはだけさせず、端然と着付けるほうであった。

川路は帰ってから書斎にひきこもった。

(どうすべきか)

と、思案したが、考えがまとまらない。胸がせまり、ときどき堰《せ》きかねて落涙した。西郷が哀れであった。哀れである以上、川路は自分自身もあわれに思い、思案がみだれ、どうにも考えがまとまらない。

川路は、フランスで政治警察を仕入れてきた男である。フランスの警察では、

「かつてフランスの警察を確立したジョセフ・フーシェこそ、文明社会の警察の聖者というべきである」

ということを聞かされ、フーシェについて知識のない川路はそのとおりに信じた。川路の知らないことであったが、フーシェがヨーロッパの近代史上、信じがたいほどの変節の政治家であり、川路の時代よりずっとあと、作家シュテファン・ツヴァイクの

名作『ジョセフ・フーシェ』によってその悪党としての性格と行跡を完膚なきまでに解剖されてしまった人物である。

フーシェは生涯を通じ、その保身において悪魔もおよばないほどの智恵をめぐらした。かれは最初、カトリックの僧院にいた。フランス革命がおこると熱狂して僧院をとびだし、ジロンド派の仲間に入ったが、さらに過激なジャコバン派に投じ、ルイ十六世を断頭台に送るについての強力な役割を演じた。

かれは典型的なジャコバン・テロリストであり、南仏におこった反革命内乱を処理するについては残忍苛烈な刑をおこない、独裁者のロベスピエールの勢力が弱まってくると巧みにその反対側にまわり、ロベスピエールを断頭台に送った。

フランス革命とそのあとの政治的変動期に、その時期その時期の主役はつぎの時期にはかならず没落したが、フーシェのみはいかなる政変がきても、つねに主流を嗅《か》ぎわけて接近し、生きのびた。総裁政府時代にはかれはパリの警視総監であり、いっさいの反政府勢力を弾圧して手も足も出なくした。やがてナポレオンが擡頭《たいとう》してくるといちはやく先物を買ってこれに接近し、ナポレオンが執政になると、その警視総監として巧妙なスパイ網をめぐらしてナポレオンのために反対勢力の陰謀を封殺した。かれはその時期々々の主流に忠誠をささげ、その主流が没落しかけると死臭をいちはやく嗅ぎつけてつぎの主流に現在の主流を売りわたすという天才であり、このためにフーシェはついに公爵にまでなった。

川路は、そういうフーシェを知らず、フーシェの残した政治警察を学び、近代国家を成立せしめるための文明の要素であると信じたのである。

が、川路はフーシェのような悪党ではなかったのである。

シュテファン・ツヴァイクが引用しているバルザックのフーシェ評によれば、フーシェの人間と生涯はつぎのような言葉でまとめられている。

「ナポレオンがもった唯一の名大臣」

「奇妙な天才」

「私の知りうるかぎりの最も強い頭脳」

「ナポレオンにさえ、ある種の恐怖を抱《いだ》かしめた男」

「その容貌の底にうかがい知るべからざる深さをたたえ、そのときどきのかれの行動はその時期においては誰も意味を察しないが、芝居がおわったずっとあとになってやっと合《が》点《てん》のゆく人物」

といったふうな男であったが、一方、川路はフーシェのはるかな後年の弟子でありながら、フーシェのような灰色のマントをかぶった沈黙の政治芸や、権力に対する特異な執着というものをもっていなかった。ただ、フーシェが敵の勢力どころか同僚の政治家たちをさえ戦慄させたほどの政治スパイの網をめぐらし、同僚の政治家の私行まで一手ににぎっていたということを、川路もできればその先哲にあやかりたいとねがっていた。

もっともフーシェはその陰鬱《いんうつ》な特技を自分の保身のために用いた。しかし川路の可愛らしさはそのことが国家を愛する道につながっていると信じていたことである。川路の師匠のフーシェがヨーロッパの近代政治史上最も難解な悪党とされたのに対し、川路その人は単に明治国家に融《と》けこんだ良質の官僚とされたというちがいはここにある。

川路が西郷の寓居を訪問したのは大久保の示唆《しさ》によるものであった。かれは大久保に報告の手紙を書かねばならない。

「西郷が乱をおこすかどうか」

についてである。

もっとも大久保は、自分ほど西郷を知っている者はいないとおもっていたし、その自信からいえば、

——西郷そのひとは乱をおこさない。

と、半ば信じていた。大久保の懸念は西郷その人でなく、西郷という巨大な電磁力を帯びた存在にむかって吸いよせられてくる大小の反政府分子のうごきにあった。

「西郷自身がまさかかれの手でつくったこの政府をこわそうとはすまい。が、西郷を扇動しようとする者がいる。大は参議の板垣や江藤から、小は満天下の不平士族たちや、さらには帝都に駐屯する近衛将校たちが西郷をすてておかない。西郷はかれらの動きに対してどう反応しているか」

ということが、大久保の懸念であった。

川路が、この夜書斎で考えこんでいたのは、大久保にどう報告するかという思案である。

が、川路の思案は容易にまとまらない。

（こまった老爺《ろうや》だ）

と、西郷のことをおもった。川路のように西郷に親炙《しんしゃ》してきた人間でさえ、西郷とはいかなる人物かということになると、西郷の衣装を一枚剝《は》がしてもわからず、二枚剝がせばいよいよわからず、撫《な》でても突きころばしてもわからない。

「あれは洪《おお》いなる鐘のような男だ」

といったのは、幕末、西郷にはじめて接触したときの坂本竜馬の感想である。「小さく撞《つ》けば小さく鳴り、大きく撞けば大きく鳴る」というもので、西郷好きの勝海舟がじかに坂本からこの感想をきき、「評する人も人。評せらるる人も人」と感心したが、西郷についてはそういう概括評がもっとも真を穿《うが》つであろう。近づいてこまごまとみれば山容をうしない、ただの地肌《じはだ》であったり、西郷のもつ豊富な色彩がかえって単色になったりする。

が、川路は西郷をいまあらためて分析して今後の明治国家にかれがどう影響するかを考えねばならなかった。それが、ジョセフ・フーシェの政治警察のありかたを尊敬してきた川路の義務であり、かれをいまかりたてている切迫感でもあった。

「桜島のようなひとだ」

と、川路はかねて考えていた。

錦江《きんこう》という華麗な名前でよばれている鹿児島湾にあって、その紺碧《こんぺき》の水をすそにめぐらしつつ天の大部分を占めている桜島というものは、ヨーロッパをめぐってきた川路の目にも、これほど美しい山水はないようにおもわれる。

桜島は、晴れた空を背景にするときは威容そのものである。ちまちまとした人間の営みで明け暮れている鹿児島旧城下をその魁偉《かいい》でもって圧倒しつつ、しかしながらそのすそに群青《ぐんじょう》のかがやきをもつ水帯をめぐらしているために威圧に無限の優しさがこもっている。夕刻になり、太陽が空と海を染めはじめると、桜島の色彩はいかなる絵具もおよばないほどに変化する。こういう日の桜島は絵画として定着させることはとうてい不可能で、色彩が変化しているその動きのなかにのみその美しさがあるかのようである。それにひきかえ、曇天や雨天の日の桜島ほどつまらないものはなく、ただのでくのぼうが無用に空間を占めているだけである。しかしそのことで決して油断はできない。火口に雨が降るとどういう機能でそうなるのか、翌日か、あるいはその数日後に地鳴りをとどろかせて大小の爆発をしてみせるからである。そのつど、薩南の地に白い灰が降る。灰の粒子は刃物のようにするどくひとびとの眼球に突き刺さる。しかも何世紀かに一度、大爆発をおこしてその熔岩《ようがん》がたばしりつつ海を襲い、海を陸にしてしまうこともあった。

（桜島は華麗で偉大だが、しかし人間の暮らしにとってはもはや不要のものだ）

という、余計ものはいかに偉大であろうとも取りのぞいてしまわねばならないという国家観もありうるのである。

庭のどこかの樹で、梟《ふくろう》が啼《な》きはじめた。

「まだおやすみなさいませんのでございますか」

という意味の言葉が、ふすまのむこうからきこえた。川路の妻の沢子であった。声が低い。

「なにをしよるか」

「お茶を淹《い》れてさしあげます」

小柄な沢子が入ってきた。

川路はいつのまにか机から離れていた。床の間を枕に仰臥《ぎょうが》している。薩摩の武家の習慣として、畳の上には頭を置かない。首というのは敵の大将の見参に入れるという意味でもっとも尊いものだというのがその理由である。他郷の者からみれば滑稽なことかもしれないが、薩摩には鎌倉風の武家習慣が濃厚にのこっていた。

「もう、寝《やす》まンか」

と、川路が起きあがって茶碗をとりあげた。

「おいには、思案がある」

——思案がある。

という川路の言葉は沢子にとって絶対的なもので、げんに川路は帰宅すると「思案」ばかりをし、いったんそれをはじめると夜明けをむかえることがしばしばだった。思案のときには、川路は鉛筆をひねくっては紙にしきりに文字を書く。頭にうかぶ文字をことごとく書いているのではないかとおもわれるほどに大量に書く。真、法、瀉《しゃ》、鋭、土といったふうにである。

ところが、沢子のみるところ今夜のこの思案は、そういう作業がともなっていなかった。それによほど思い詰めているらしく、午後八時ごろからはじめた思案が、いま夜中の一時というのに、すでに川路の両眼を落ちくぼませ、すっかり窶《やつ》れさせてしまっているようにもおもえる。

「机のほうへゆけ」

と、川路は思いなおしたように命じた。沢子がそのとおりにした。机の上には美濃紙がぶあつく載せられていた。あとは鉛筆が一本だけである。

「その紙へ文字を書け」

川路は、命じた。

「文字でございますか」

「おいがいうとおりに」

川路はさっそく「サン」といった。

「なんのサンでございます」

「頭にうかぶとおりの漢字でよか」

「讃《さん》」

と、書いた。

川路の口が鳥になったように、みじかい音節の漢音をさえずりはじめ、それもとめどなくつづいた。沢子はその音をいちいち文字に当てはめては書いた。ほとんど無数に書いた。

「西郷《せご》さァはどの文字にふさわしいか」

と、最後に川路はいった。沢子の印象だけでいいという。あまり考えるな、考えないで、この文字のような感じだといえ、と川路はいうのである。

沢子は、従順な女だった。いわれるとおり、深く考えもせずに彼女の西郷への印象にいちばんふさわしい文字を、大いそぎで見つけようとした。「早う」と、川路はせきたてた。沢子は、

「悲」

という文字をつかまえた。慈悲の悲なのか、悲哀の悲なのか、よくわからない。

(――悲か)

悲とはおどろいたな、と川路は内心意外におもった。沢子は平凡な女にすぎない。その平凡さからいえば、陸軍大将、参議、近衛都督という、最高の官職にかざられている

であろう。

西郷の印象を華麗なものとしてうけとるのが当然であったが、「悲」とはどういうわけ

「こいは、何《なん》か」

と、その文字と沢子の心象のつながりについて問うたが、そう問われても当の沢子にはわからず、問いつめられると泣きだしそうになった。

「もう、よか」

川路はやさしくいってやった。沢子はほっとしたような表情をし、小さい手をいそがしく動かして茶器を片づけおわると、逃げるように出て行った。

（沢子は、あの話を思いうかべたにちがいない）

と、川路はおもった。

沢子は少女のころ、お由良騒動のはなしをお伽話《とぎばなし》のようにきいて育った。

——高崎崩《くず》れ。

と、当時、薩摩ではいわれた。両派が対立したということはすでにのべた。庶子久光を擁立して世子斉彬をしりぞけようとするお由良派の勢力のほうが、当時の藩主斉興をにぎっているために勢いがさかんで、いわゆる「正義派」の高崎五郎右衛門らを追いおとし、嘉永二年（一八四九年）十二月、ついに高崎ら六人を切腹せしめ、高崎の党派のことごとくを蟄居《ちっきょ》、謹慎、入牢《じゅろう》の刑に処した。翌年三月、さらに赤山靫負《ゆきえ》らに賜死《しし》、その他刑をまぬがれたものはなかった。

――神仏というものは人の善悪を見そなわさぬものなのか。悪がこうも栄えてよいものか。

と、藩士のどの家庭でもささやかれた。それがわずか二十三年前のことである。沢子の家では父が郷士であるため藩の行政に無縁だった。このためこの抗争の局外にいたが、父はこの悲報をきいたとき、声をあげて泣いた。彼女はまだ幼女だったが、父が見せた男泣きという異様な光景を、成人後もわすれることができない。沢子は事情のわからぬまま、正義を守るということがいかにおそろしいものであるかを知った。

ところが、当時西郷は数えて二十四歳で、まだ政治青年ではなかった。が、父の吉兵衛が、藩命によって正義派の頭目の赤山靱負の切腹の介錯《かいしゃく》をつとめさせられたことからこの事件に無縁ではなくなった。

吉兵衛は赤山の血しぶきをあびた片袖《かたそで》をもらって帰って、赤山がいかに立派に死んだかを西郷に語った。西郷はその片袖を終夜抱《いだ》き、終夜号泣し、赤山の志を継ぐことを誓った。かれが革命への志をたてたのはこのときからだったということを沢子はのちになってひとからきいたことがある。その話をきいたとき、彼女は不意に泣きだした。父の男泣きという異様な記憶とがかさなって彼女の気持を身も世もないものにさせたのかもしれないが、その後、彼女の西郷への印象が悲惨の色調を帯びるようになったのである。おそらくそうだろうと川路はおもった。

（第一巻　おわり）

文春文庫

翔《と》ぶが如《ごと》く（一）

定価はカバーに
表示してあります

2002年2月10日　新装版第1刷
2005年2月25日　　　　第6刷

著　者　司《し》馬《ば》遼《りよう》太《た》郎《ろう》
発行者　庄野音比古
発行所　株式会社 文藝春秋
東京都千代田区紀尾井町3-23　〒102-8008
TEL 03・3265・1211
文藝春秋ホームページ　http://www.bunshun.co.jp
文春ウェブ文庫　http://www.bunshunplaza.com

落丁、乱丁本は、お手数ですが小社営業部宛お送り下さい。送料小社負担でお取替致します。

印刷・凸版印刷　製本・加藤製本
Printed in Japan
ISBN4-16-710594-2

文春文庫

司馬遼太郎の本

（　）内は解説者。品切の節はご容赦下さい。

司馬遼太郎
十一番目の志士（上下）
天堂晋助は長州人にはめずらしい剣の達人だった。高杉晋作は、旅の道すがら見た彼の剣技に惚れこみ、刺客として活用することにした。型破りの剣客の魅力ほとばしる長篇。（奈良本辰也）
し-1-2

司馬遼太郎
世に棲む日日〈新装版〉（全四冊）
幕末、ある時点から長州藩は突如倒幕へと暴走した。その原点に立つ吉田松陰と、師の思想を行動化したその弟子高杉晋作を中心に変革期の人物群を生き生きとあざやかに描き出す長篇。
し-1-105

司馬遼太郎
酔って候〈新装版〉
土佐の山内容堂を描く「酔って候」、薩摩の島津久光の「きつね馬」、宇和島の伊達宗城の「伊達の黒船」、鍋島閑叟の「肥前の妖怪」と、四人の賢侯たちを材料に幕末を探る短篇集。（芳賀　徹）
し-1-109

司馬遼太郎
功名が辻（全四冊）
戦国時代、戦闘も世渡りもからきし下手な夫・山内一豊を、三代の覇者交代の間を巧みに泳がせて、ついには土佐の太守に仕立て上げたその夫人のさわやかな内助ぶりを描く。（永井路子）
し-1-17

司馬遼太郎
故郷忘じがたく候〈新装版〉
朝鮮の役で薩摩に連れてこられた陶工たちが、帰化しても姓をあらためず、故国の神をまつりながら生きつづけて来た姿を描く表題作のほかに、「斬殺」「胡桃に酒」を収録。（山内昌之）
し-1-113

司馬遼太郎
歴史を紀行する
風土を考えずには歴史も現在も理解しがたい場合がある。高知、会津若松、佐賀、京都、鹿児島、大阪、盛岡など十二の土地を選んで、その風土と歴史の交差部分をつぶさに見なおした紀行。
し-1-22

文春文庫

司馬遼太郎の本

品切の節はご容赦下さい。

夏草の賦（上下）
司馬遼太郎

戦国時代に四国の覇者となった長曾我部元親。ぬかりなく布石し、攻めるべき時に攻めて成功した深慮遠謀ぶりと、政治に生きる人間としての人生を、妻との交流を通して描いた傑作長篇。

し-1-24

義経〈新装版〉（上下）
司馬遼太郎

源氏の棟梁の子に生まれながら寺に預けられ、不遇だった少年時代。義経となって華やかに歴史に登場、英雄に昇りつめながらも非業の最期を遂げた天才の数奇な生涯を描いた長篇小説。

し-1-110

日本人を考える
司馬遼太郎対談集
司馬遼太郎

梅棹忠夫、犬養道子、梅原猛、向坊隆、高坂正堯、辻悟、陳舜臣、富士正晴、桑原武夫、貝塚茂樹、山口瞳、今西錦司の十二氏を相手に、日本と日本人について興味深い話は尽きない。

し-1-36

殉死
司馬遼太郎

戦前は神様のような存在だった乃木将軍は、無能ゆえに日露戦争で多くの部下を死なせたが、数々の栄職をもって晩年を飾られた。明治天皇に殉死した乃木希典の人間性を解明した問題作。

し-1-37

余話として
司馬遼太郎

アメリカの剣客、策士と暗号、武士と言葉、幻術、ある会津人のこと、『太平記』とその影響、日本的権力についてなど、歴史小説の大家がおりにふれて披露した興味深い、歴史こぼれ話。

し-1-38

木曜島の夜会
司馬遼太郎

オーストラリア北端の木曜島で、明治初期から白蝶貝採集に従事する日本人ダイバーたちがいた。彼らの哀歓を描いた表題作他「有隣は悪形にて」「大楽源太郎の生死」「小室某覚書」収録。

し-1-49

文春文庫

時代小説

（　）内は解説者。品切の節はご容赦下さい。

泡坂妻夫
凧をみる武士 宝引の辰　捕者帳
小判を背負った凧の謎……表題作ほか、「とんぼ玉異聞」「雛の宵宮」「幽霊大夫」の全四篇を収録。江戸情緒溢れる事件に、お馴染み神田千両町の辰親分が挑む。（長谷部史親）
あ-13-10

泡坂妻夫
朱房の鷹 宝引の辰　捕者帳
将軍様の鷹が殺された。ご公儀の威光を笠にきた鷹匠に対する庶民の恨みと思いきや……。表題作ほか「笠秋草」「面影蛍」など全八篇。江戸情緒満載の人気シリーズ第四弾！（寺田博）
あ-13-11

浅田次郎
壬生義士伝《みぶぎしでん》（上下）
「死にたぐはねえから、人を斬るのす」——生活苦から南部藩を脱藩し、壬生浪《みぶろ》と呼ばれた新選組の中にあって人の道を見失わなかった吉村貫一郎。その生涯と妻子の数奇な運命。（久世光彦）
あ-39-2

井上ひさし
手鎖心中
他人を笑わせ、他人に笑われ、そのために死ぬほど絵草紙作者になりたいと願っている若旦那のありようを洒落のめした直木賞受賞作に加え、「江戸の夕立ち」を収録。（百目鬼恭三郎）
い-3-3

井上ひさし
おれたちと大砲
おれたち五人は黒手組。といっても、みんなぼうふらのような存在だが、時は幕末、将軍さまのピンチだとばかり、恐るべき大計画をひっさげて立ち上がったのだ。（百目鬼恭三郎）
い-3-5

井上ひさし
江戸紫絵巻源氏（上下）
神田の質屋の跡取り息子・源次はさるお大名と遊女桐壺の一粒ダネ。ひょんなことから奥州六十万石館家の殿様に成り上がった源次の波瀾万丈、酒池肉林、抱腹絶倒の半生記。（駒田信二）
い-3-12

（　）内は解説者。品切の節はご容赦下さい。

受城異聞記
池宮彰一郎

幕命により厳寒の北アルプスを越えて高山陣屋と城の接収に向かった加賀大聖寺藩士たちの運命は？　表題作ほか、「絶塵の将」「けだもの」など絶品の時代小説五篇収録。（菊池仁）

い-42-1

小説・徳川三代
家康・秀忠・家光をめぐる人々
伊藤三男

本多正信・正純親子、大久保忠隣、春日局といった将軍の重臣や乳母たちの権力をめぐる闘いに注目し、現代の企業小説にも通じる感覚で、人間の有為転変の儚さを描く書き下ろし長篇。

い-43-1

幻の声　髪結い伊三次捕物余話
宇江佐真理

町方同心の下で働く伊三次は、事件を追って今日も東奔西走。江戸庶民のきめ細かな人間関係を描き、現代を感じさせる珠玉の五話。選考委員絶賛のオール讀物新人賞受賞作。（常盤新平）

う-11-1

紫紺のつばめ
髪結い伊三次捕物余話
宇江佐真理

伊勢屋忠兵衛からの申し出に揺れるお文。伊三次との心の隙間は広がるばかり。そんな時、伊三次に殺しの嫌疑が。法では裁けぬ人の心を描く人気捕物帖、波瀾の第二弾。（中村橋之助）

う-11-2

氷葬
諸田玲子

夫の知己ということで泊めた男に凌辱され、激情にかられて男を殺してしまった下級藩士の妻。死体を沈めた沼は氷に閉ざされたが、それは長い悪夢の始まりにすぎなかった。（東直子）

も-18-1

あくじゃれ　瓢六捕物帖
諸田玲子

知恵と機転を買われて牢から解き放たれた粋な悪党・瓢六と、不承不承お目付役を務める堅物同心・篠崎弥左衛門の凸凹コンビが、難事件解決に活躍する痛快捕物帖。（鴨下信一）

も-18-2

「司馬遼太郎記念館」への招待

司馬遼太郎記念館は自宅と隣接地に建てられた安藤忠雄氏設計の建物で構成されている。広さは、約2300平方メートル。2001年11月に開館した。

数々の作品が生まれた自宅の書斎、四季の変化を見せる雑木林風の自宅の庭、高さ11メートル、地下1階から地上2階までの三層吹き抜けの壁面に、資料本や自著本など2万余冊が収納されている大書架、……などから一人の作家の精神を感じ取っていただく構成になっている。展示中心の見る記念館というより、感じる記念館ということを意図した。この空間で、わずかでもいい、ゆとりの時間をもっていただき、来館者ご自身が思い思いにしばし考える時間をもっていただきたい、という願いを込めている。　（館長　上村洋行）

利用案内

所 在 地　大阪府東大阪市下小阪3丁目11番18号　〒577-0803
T E L　06-6726-3860，06-6726-3859（友の会）
H P　http://www.shibazaidan.or.jp
開館時間　10:00～17:00（入館受付は16:30まで）
休 館 日　毎週月曜日（祝日・振替休日の場合は翌日が休館）
特別資料整理期間（9/1～10）、年末・年始（12/28～1/4）
※その他臨時に休館することがあります。

入館料

	一　般	団　体
大人	500円	400円
高・中学生	300円	240円
小学生	200円	160円

※団体は20名以上
※障害者手帳を持参の方は無料

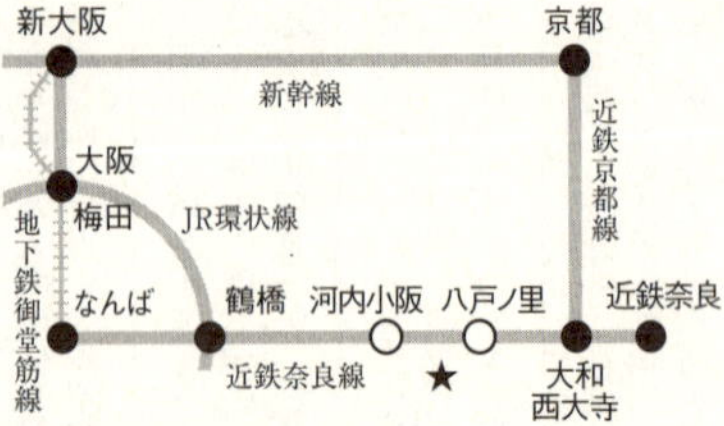

アクセス　近鉄奈良線「河内小阪駅」下車、徒歩12分。「八戸ノ里駅」下車、徒歩8分。
Ⓟ5台　大型バスは近くに無料一時駐車場あり。但し事前にご連絡ください。

記念館友の会　ご案内

友の会は司馬作品を愛し、記念館を支えてくださる会員の皆さんとのコミュニケーションの場です。会員になると、会誌「遼」（年4回発行）をお届けします。また、講演会、交流会、ツアーなど、館の行事に会員価格で参加できるなどの特典があります。

年会費　一般会員3000円　サポート会員1万円　企業サポート会員5万円
お申し込み、お問い合わせは友の会事務局まで
TEL 06-6726-3859　FAX 06-6726-3856